D1248745

RAMÓN DÍAZ ETEROVIC

LOS SIETE HIJOS
DE SIMENON

NARRATIVA

LOM
EDICIONES

LOM PALABRA DE LA LENGUA YÁMANA QUE SIGNIFICA **SOL**

Registro de Propiedad Intelectual Nº: 111.567
I.S.B.N: 956-282-242-7

Motivo de la cubierta: Imagen del afiche de
Théophile–Alexandre Steinlen.

Diseño, Composición y Diagramación:
· Editorial LOM. Concha y Toro 23, Santiago
Fono: 6885273 Fax: 6966388

Impreso en los talleres de LOM
Maturana 9, Santiago
Fono: 6722236 Fax: 6730915

Impreso en Santiago de Chile.

A
Leonora Vicuña Navarro,
desde la gota pura hasta
la lluvia persistente de la amistad.

A
Cristián Cottet
por la amistad que nos une,
al paso de los años y los sueños.

PRIMERA PARTE

1

Rojo, mucho rojo. Un fragmento de sol sobre la arena y los maderos resecos. Rojo como la sangre del pasado, una y otra vez revivida en noches de insomnio y cigarrillos. Rojo, preciso y a ratos luminoso, deslizándose por entre mis dedos y los maderos de las cabañas, mientras en mi interior hervía la inquietud, las ganas de estar en mi oficina próxima a la Estación Mapocho, con su escritorio metálico, sus dos piezas, la cocina con sus paredes cubiertas de tiestos y mis libros, humedecidos y polvorientos, a imagen y semejanza de los recuerdos.

Llevaba seis meses en lo mismo. Descuidado, barbón de lunes a viernes, resignado a trabajar en esas cabañas que había aceptado pintar a cambio de algunos pesos y un lugar donde dormir. El mar hacía su juego habitual, ennegrecido por las inmundicias que la gente arrojaba en la costa, remarcando las huellas que devastaban bosques, convertía peces en harina y arrojaba sus desechos, aquí y allá, cercando el aire y el agua. Un mar que me obligaba a pensar en la ciudad, y dentro de ella en Griseta, la muchacha que decía amarme, pero que se había marchado para completar la dosis de desengaños que necesitaba para estar a mi lado dispuesta a aceptar que la vida, al menos la mía, giraba en una ruleta dispar.

Estaba en el balneario de Las Cruces y aún faltaban dos meses para que llegaran las primeras oleadas de veraneantes y la playa, al igual que cada verano, se convirtiera en un infierno de pieles sudorosas, ungüentos, sombrillas y vendedores de palmeras o pan de huevo. Las cabañas estaban a medio kilómetro de la casa del poeta Parra, quien en un atardecer de copas y brisa me regaló una servilleta donde había escrito una cita del Gran Jefe Seattle: «El hombre no ha tejido la red de la vida: es sólo una hebra de ella. Todo lo que haga a la red se lo hará a sí mismo. Lo que ocurre a la tierra ocurrirá a los hijos de la tierra».

Me levantaba a las ocho de la mañana. Preparaba café y lo bebía observando los roqueríos sobre los cuales se posaban gaviotas y cormoranes. Salía a caminar por la playa, recogía pedruscos, pequeñas ramas secas, carboncillos, y cuando el sol comenzaba a quemar mi piel, nadaba veinte o treinta minutos, sintiendo el roce del agua escurriéndose suavemente sobre mi cuerpo hacia un horizonte subterráneo. Me gustaba avanzar sobre el agua exigiéndome brazadas vigorosas y luego flotar de cara al cielo, sintiendo que era infinitamente libre y que el agua me cercaba como caricias de una amante insatisfecha. Después volvía a la playa y otra vez todo era rojo: el color del trabajo y de la ira. El ir y venir de la pintura hasta que las sombras de la noche llegaban a realizar su inspección y un dolor en los hombros indicaba la hora de terminar el trabajo y buscar en la playa Las Cadenas un barcito donde beber vino sin prisa, recreando en la memoria una canción de Leo Dan que cantaba en el hogar de niños donde viví hasta los catorce años.

Griseta, la muchacha que tiempo atrás había llegado a mi oficina era algo más que un recuerdo. Por las noches, la imaginaba entre mis brazos hasta que el sueño me vencía y podía sentirme satisfecho de haber sobrevivido un día más. Su optimismo, la risa, el frescor de sus sueños me habían doblado la mano. Fue bueno entregarse y creer, aunque su partida hubiera llegado antes de tiempo, en un amanecer desganado, después de hacer el amor, prender unos cigarrillos y acompañarla hasta el terminal de buses. Lo demás era la conocida tristeza, mis soliloquios repetidos, la decisión de terminar el trabajo y regresar a mi barrio de casas viejas y leales, como mi gato Simenon que recostado junto a las latas de pinturas, me veía trabajar en ese atardecer.

—Un galón más y se acabó —le escuché decir.

Observé su pelaje blanco y sus ojos verdes de los que parecía estar deslizándose una lágrima.

—Lo justo para cumplir con el trabajo, cobrar y regresar a Santiago. Tú a tus tejados, yo a los míos.

2

No tenía mucho que decir. Había dado las explicaciones a Garrido y esperaba a que el dueño de las cabañas terminara de revisar el trabajo y pagara mis honorarios. Lo observé al tiempo que buscaba en mi chaqueta el cuarto Derby de la última media hora. Garrido no medía más de un metro cincuenta. Era calvo, de ojos achinados, y tenía ese andar estirado propio de los petisos o de quien ha pasado varias temporadas en una escuela militar, trotando de sol a sol, preocupado del inútil brillo de sus botas. Recorrió las cabañas, tocó dos o tres paredes para comprobar que la pintura estuviera seca y finalmente, se detuvo a mi lado, sonrió de mala gana y sacó un sobre de su maletín.

—Parece bien —dijo—: Las cabañas y sus ventanas. Lo más jodido son las ventanas. Tienen muchos detalles que requieren paciencia y pulso.

—Qué tal si me paga de una vez por todas —dije, sin ganas de enfrascarme en una meditación acerca de la labor de un pintor de brocha gorda. Mis uñas cubiertas de pintura roja serían más que suficiente para recordar durante varios días el lugar en el que había pasado los últimos seis meses.

—No me hace gracia su renuncia. Contaba con usted para toda la temporada. Ahora tendré que buscar otro empleado.

—El cargo es atractivo: Gerente de Cabañas. Le será fácil atrapar a un ingenuo que quiera ocuparlo.

Garrido sonrió de mala gana, miró el sobre que tenía en su mano izquierda y me lo pasó.

—Doscientos mil —dijo.

—Habíamos convenido el doble.

—La renuncia le hizo perder buena parte de sus derechos. Así lo estipula el contrato.

—Y no tengo a quién reclamar, ¿cierto?

—Tome sus cosas y despidámonos —afirmó sin dar pie a una réplica.

En otra época le habría sacudido la nariz, pero me había refugiado en la playa para alejarme de la violencia. Estaba hastiado del dolor. Harto de querer cambiar el rumbo de las cosas, de espantar la oscuridad para que al fin de cuentas, los aprovechadores de siempre se quedaran con el pez y los anzuelos. Estaba cansado y no quería más engaños, porque aun en lo más privado, tierno y dulce —el amor— había jugado mal. Por eso, mientras oía a Garrido, pensaba en algo que había leído meses atrás: «No quiero cambiar el mundo, sólo trato de que el mundo no me cambie». Ignoraba el origen de la cita y maldije mi mala memoria, la absoluta incapacidad de retener tres cifras o un nombre extraño. Pero, también era cierto que luchar contra los cambios que imponía eso que llamaba mundo, obligaba a no ser complaciente con lo que me rodeaba, a reclamar y buscar esa vieja rebeldía que, a fin de cuentas, permite juntar un día con otro.

—No olvide al gato —dijo Garrido, indicando a Simenon que nos observaba desde la entrada de la cabaña que nos había cobijado hasta esa tarde. El aire marino le sentaba bien. Su pelaje albo lucía brillante y su cuerpo había adquirido un peso que hacía más lento su andar.

Guardé el dinero y acurruqué a Simenon en mi brazo izquierdo, al tiempo que con la mano derecha recogía el bolso que contenía mis pocos bienes: Tres camisas desteñidas, igual número de calzoncillos y calcetines, dos chalecos gruesos, un ejemplar algo manoseado de «Piano Bar de Solitarios», una libreta de apuntes, el cepillo de dientes y dos cartas de Griseta.

Me despedí de Garrido que hizo sonar los tacos

de sus zapatos y sonrió, alegre de verme desaparecer de su feudo. Respiré el aire salino y avancé por el sendero de arena que conducía a Santiago.

Llegué a la carretera, y en vez de caminar hasta el paradero de buses, levanté la mano derecha para hacer dedo a un furgón que pasó a mi lado sin detenerse.

Media hora más tarde, después de una decena de intentos fallidos, se detuvo una camioneta verde. La conducía una mujer de piel morena y ojos grandes que estudió mi aspecto antes de bajar el vidrio de la puerta correspondiente al acompañante.

—Voy a Santiago —dije.

—Suba, pero le advierto que antes debo pasar por Valparaíso. Tengo que retirar un encargo.

—No tengo apuro y observar los cerros de Valparaíso siempre alimenta el ánimo.

La mujer acomodó un bolso que llevaba en el asiento y me indicó que subiera.

—Se veía tierno con el gato en los brazos —dijo una vez que hubo puesto de nuevo en marcha el vehículo—: Tierno e inofensivo.

—Lo soy —dije, y sonreí—. Cada día más tierno e inofensivo. Debe ser la edad.

—No dije que se viera viejo. Sólo que no tiene aspecto de mochilero. Ropa negra, cabellos al rape, bototos y una evidente falta de aseo. Hacen nata y no son de fiar —dijo la mujer, y luego de acelerar la marcha de la camioneta, agregó—: Me llamo Verónica Jéldrez y trabajo en una consultora especializada en estudios del medio ambiente. Contaminación, residuos tóxicos, protección de la fauna. Como usted podrá imaginar, trabajo no me falta.

—Heredia —dije, sin saber qué más agregar. Carecía de domicilio y no tenía ganas de revelar mi pasado a una extraña.

—¿El gato tiene nombre?

—Simenon.

—¿Como el futbolista?

14

—Sí, formaba una delantera de miedo con Soriano y Onetti.

—¿Metí la pata? —preguntó antes de tomar una curva con más prisa de la aconsejable.

La mujer era amable y parlanchina. Estaba casada con un técnico forestal estadounidense al que había conocido mientras estudiaba en la Universidad de Waco, en Texas. Tenía dos hijos adolescentes y parecía disfrutar de su trabajo. Venía de Cartagena y Las Cruces, balnearios en los que realizaba estudios acerca de la contaminación de las aguas y la emisión de excrementos.

—Es un problema económico. Nadie quiere perder. Todos desean utilidades rápidas a costa de recursos que no se renuevan o demoran años en hacerlo. Es igual en todas partes. Salmoneras que contaminan las aguas en el sur, bosques que se destruyen, industrias que infectan el aire en Santiago —dijo Verónica—. En Cartagena se podrían mejorar las condiciones ambientales, pero eso pasaría por limitar la cantidad de veraneantes, cosa que a los dueños de pensiones y restaurantes no les hace gracia.

—Mi lucha ecológica terminó el día en que murió la única planta que tenía en el departamento. La cuidé por meses, pero el esmog ganó la partida.

—Nadie tiene conciencia ecológica —comentó Verónica, y enseguida inició una larga disertación. Recordé mi aversión contra los lateros, pero no dije nada. Tampoco me atreví a contrariarla cuando intenté prender un cigarrillo y ella me lo impidió con tres no simultáneos.

—En esta camioneta no se fuma —agregó—: Si no aguanta, se baja.

—Sé controlar mis vicios —concedí, resignado.

Recordé a un amigo al cual solía visitar para su cumpleaños. Hacía unas fiestas simpáticas hasta que se casó con una bióloga que le prohibió fumar y ofrecer alcohol a los invitados. Servía jugo de zanahoria y había que fumar en el jardín. Dejé de ver a mi amigo después de dos cumpleaños de ese tipo y nunca supe si seguía siendo infeliz o estaba divorciado.

—¿A qué se dedica? —preguntó mirándome de reojo—: Viste como un maestro de la construcción, pero algo me dice que no es ese su oficio.

—Últimamente he sido pintor de brocha gorda ...

—Si no quiere, no responda —interrumpió la mujer—: Sólo era una pregunta para acortar el viaje.

—Antes trabajaba como investigador privado —dije y por unos segundos observé el rostro de la mujer. Sus ojos se abrieron más de la cuenta, pero advertí que era mayor la curiosidad que su miedo.

—¿Cómo llegó a esa ocupación?

—Casualidad o el destino, no lo tengo muy claro. Años atrás estudié en la Escuela de Derecho. Dos semestres y nada más. Al salir de la universidad, conocí al tío de una amiga que deseaba ubicar a su hija mayor. La muchacha se había fugado de la casa con un pololo. El tío me ofreció unos pesos por ubicarla y tuve éxito. La muchacha regresó a su casa y el trabajo me quedó gustando. Arrendé una oficina y puse un aviso en el diario. Durante mucho tiempo creí que era el trabajo ideal. Sin patrones y con horas de sobra para leer y escuchar música.

—Seguro que le han tocado muchos trabajos interesantes.

—Muchachas fugadas, gente que desea recuperar una que otra cosa, crímenes que la policía no quiere aclarar. Como no soy una persona ambiciosa, no me iba mal. Pagaba el arriendo, comía a mis horas y siempre sobraba algo para copas y libros. Pero me aburrí, tuve miedo, o fue la influencia de una mujer. Un día, hace seis meses, dejé todo.

—Y la mujer lo dejó a usted —afirmó, interrumpiéndome una vez más—: ¿Me equivoco?

—Señora, en cuanto a mujeres mi vida es como una peluquería. Las mujeres entran, afilan sus uñas y se van. Casi no me preocupo de ellas.

—¡Casi! No suena convincente.

—Alguna vez leí que un buen detective nunca se casa.

—¡Simpático! ¿Y ahora, qué hará?

—¡Veremos! —exclamé y miré hacia el horizonte de árboles y cerros que comenzaba a oscurecer—: Santiago siempre ofrece algo nuevo. Tal vez, con un poco de suerte, puedo reabrir la oficina. No es gran cosa lo que necesito. Escritorio, teléfono y un sillón cómodo para sentarse a esperar a los clientes.

—Ojalá que tenga suerte. Si cree que puedo ayudarlo en algo, busque mi nombre en la guía telefónica —dijo la mujer y me pareció que su ofrecimiento era sincero.

Llegamos a Santiago al anochecer. Rauda, la camioneta dejó atrás la Ciudad Satélite y terminó detenida en un atochamiento de vehículos frente a la «Posada del Ganso». En las veredas se veía a la gente que transitaba hacia sus casas, y algo en la expresión cansada de sus rostros me hizo añorar la tranquilidad de la playa; aquellas horas en que me sentaba frente al mar, a mirar el vuelo de las gaviotas, mientras en el horizonte el sol se retiraba lentamente, rojo y gordo como un capataz ebrio.

Nos despedimos frente a la Estación Central. La vi conducir entre dos buses y después se perdió entre el colorido artificial y vertiginoso de la calle a la que un humorista de antaño bautizó «Alameda de Las Delicias».

Caminé maravillado por las luces de los avisos comerciales y de la media docena de restaurantes que permanecían abiertos. La noche estaba fresca y de los boliches próximos a la estación salía un insidioso aroma a carne asada, café y papas fritas. Sin saber qué hacer, me detuve en varios quioscos que ofrecían casetes adulterados, calcetines chinos, poleras con la imagen del Che, cortauñas, y una infinidad de chucherías a precios ínfimos. Observé hacia el interior de una fuente de soda y vi a una treintena de clientes que bebía cervezas y comía completos colorinches, atiborrados de mayonesa y salsa americana.

17

Decidí volver a mi barrio. Detuve un taxi y le indiqué al chofer que me dejara en la esquina de Bandera con Aillavillú. El tipo, flaco y peinado a la gomina, me observó a través del espejo retrovisor y por unos segundos intentó una maniobra que nos llevaría a dar un recorrido innecesario.

—Acabo de llegar de la playa, traigo un bolso, pero no soy provinciano. Sé adónde voy y cuál es el camino más corto para llegar. Alameda hasta Amunátegui. De ahí hasta San Pablo con Bandera. Aillavillú queda una cuadra antes de la Estación Mapocho —le dije, enérgico.

El conductor me dedicó una sonrisa de doberman y aceleró el taxi, adelantando a un Daewo azul.

—También fui taxista y gustaba de trasladar a mis pasajeros por el camino más largo —agregué en voz baja. Simenon se acurrucó en mis brazos y me dedicó una mirada comprensiva. Estaba cansado y de seguro añoraba un rincón tranquilo donde ovillarse a imagen y semejanza de un círculo, símbolo del bien y el mal, del inicio y término de la vida, según pensaban los egipcios cuando en épocas remotas habían convertido al gato en un dios.

Pero esa noche yo no podía prometerle paz.

3

—¿Y ahora qué? —creí oír protestar a Simenon—: No saldrás con esa estupidez del hogar dulce hogar.

Estábamos en la calle Bandera, frente al edificio en que hasta seis meses atrás se ubicaba mi departamento oficina. La mayoría de sus ventanas estaban iluminadas pero, las que correspondían a mi antigua residencia se veían oscuras. Caminé hasta la entrada y por un momento borré el presente y busqué en mi chaqueta las llaves del departamento. Estaban en el bolsillo derecho, adormecidas junto a un pañuelo blanco, dos hojas de un programa del Hipódromo Chile y una libretita de fósforos sin usar. Me acerqué a la entrada y antes que intentara usar la llave, una voz extraña me volvió a la realidad.

—¿Busca algo? —oí preguntar a un hombre alto y tan robusto como un saco de papas. Vestía un deslavado traje de guardia y una gorra que a duras penas se mantenía sobre su cabeza, tres o cuatro tallas más grande.

—Departamento setecientos setenta y siete —balbuceé.

—No hay nadie en esa oficina y tampoco quiero líos. Así que vuelva sobre sus pasos y derechito por la calle si no quiere que llame a los pacos.

—Viví en este edificio hasta hace unos meses. Conozco cada uno de sus rincones, o al menos eso creo.

—Puede ser, soy nuevo en este trabajo. De cualquier manera, sin tarjeta de residente es imposible que entre. Esas son mis instrucciones y me pagan para que las cumpla.

—¿Tarjeta de residente?

—La nueva administración ordenó algunas cosas.

El tipo era duro de tratar y deduje que cualquier insistencia podía despertar su ira.

—La señora Arrate me arrendaba el departamento. Vivía en el piso cinco.

—Se cambió a un departamento en La Reina —dijo el guardia, al tiempo que miraba a mis espaldas.

—¿Y ahora qué? —volvió a preguntar Simenon.

En diagonal a donde nos encontrábamos divisé la puerta iluminada del Touring Bar, y frente a ella, el quiosco de Anselmo, el amigo suplementero que, antes del viaje a la playa, me mantenía informado del acontecer del barrio.

—El quiosco está cerrado —murmuré.

—El señor Peña se retira a las ocho —dijo el guardia.

—¿Señor? —me pregunté a mí mismo, admirado por el trato poco habitual para mi amigo.

—El señor Anselmo Peña —confirmó el hombrón.

—El mismo —dije, y al volver a mirar hacia el bar, comprendí que no tenía muchas cartas por jugar esa noche—: Dígale que lo busca Heredia y que estaré en el hotel *Central*.

—¿Heredia? He oído muchas cosas sobre usted...

—Chismes, seguramente. «Sin el chisme, la vida del chileno sería tan insípida como la de una monja».

—No había pensado nunca en eso. Usted tiene ingenio.

—Lo dijo José Victorino Lastarria en su «*Manifiesto del Diablo*». Una cita de las tantas que suelo anotar. Pero usted tal vez no recuerde a Lastarria, dejó de aparecer en las teleseries hace una punta de años.

El guardia levantó sus hombros con desgano. Caminé hacia el *Touring* y al entrar en el bar un vaho de vino rancio me obligó a olfatear nerviosamente. El lugar no había cambiado desde mi última visita. Las mesas mantenían sus cubiertas de acrílicos, las paredes mostraban sus antiguos afiches de vinos, cervezas y refrescos; y los tres o cuatro ebrios que se acodaban junto al mesón pertenecían al inventario original del boliche, al que sólo entraba cuando el tedio o la necesidad eran muy grandes.

Me senté junto a una mesa. Simenon apoyó sus patas delanteras en el acrílico amarillento y olfateó de mala gana el pocillo con pebre que había sobre la mesa, al lado de una concha de loco que hacía las veces de cenicero y un vaso con cuatro servilletas casi transparentes que hasta ese día nadie se había atrevido a usar.

—Tengo apetito —dijo.

—¿Y quién no? —le respondí—: Desde la mañana que no comemos nada.

Un mozo bajito y algo soñoliento se acercó a la mesa. Llevaba una chaquetilla blanca que le quedaba estrecha y pantalones negros, con los fundillos brillantes por el uso. Sacó de la chaqueta unas hojas amarillentas que cabían en la palma de su mano y se dispuso a tomar el pedido.

—Café, dos churrascos, un corto de coñac y media taza de leche —dije.

—¿Leche?

—Para mi amigo —agregué, indicando a Simenon.

4

—No estuvo mal —dije a Simenon mientras caminábamos hacia el hotel. Mis dientes habían vencido la resistencia del churrasco y el recuerdo del coñac entibiaba mi estómago. Simenon había devorado la carne y bebido con entusiasmo la leche hasta quedarse dormido a los pies de la mesa. Acababan de dar las dos de la mañana y el bar que dejábamos atrás seguía lleno de obreros trasnochados, prostitutas que acababan de salir de un volteadero, patos malos y parejas de tiras que pasaban a beber cerveza por cuenta de la casa.

El hotel era el refugio habitual de las patines del barrio y de uno que otro viajero despistado que bebía más de la cuenta en los restaurantes de las calles San Pablo o Bandera. Mantenía su puerta entreabierta y sin más identificación que un letrero miserable instalado en su parte superior. Seguido de Simenon, subí por la estrecha y oscura escalera que conducía al mesón de recepción. Tras éste, encontré a una mujer envejecida y de aspecto aburrido, que seguramente había llegado a ese empleo cuando ya no le quedaba ánimo ni cuerpo para seguir haciendo la calle. Leía un ejemplar ajado de la revista *Cine Amor* y no parecía estar muy a gusto dentro del vestido negro que comprimía sus carnes. Sobre el mesón estaba el libro de registro y junto al teléfono un pequeño cartel que indicaba el valor de las llamadas. El resto era el inicio de un pasillo igualmente tenebroso y el zumbido de un televisor en una pieza próxima, reproduciendo el diálogo soso de alguna película nocturna.

—Quiero una pieza para mí y mi amigo —dije, al tiempo que acurrucaba a Simenon entre mis brazos.

—El hotel no admite animales —graznó la vieja.

—¿Se ha fijado bien en sus clientes?

—Las reglas del hotel son claras.

—Mi gato y yo vamos juntos a todos lados. Es un tipo tranquilo y ya hizo sus necesidades. Además, este tugurio no es el *Hyatt*.

—Tendría que pensarlo —agregó la gorda, mientras calculaba la tarifa extra a cobrar.

—Le aseguro que no corre riesgo, y al final de cuentas, los meados de gato son más distinguidos que los vómitos de borracho. Estoy dispuesto a pagar un veinte por ciento sobre el valor normal y dudo que le hagan una oferta igual en los próximos quince años.

La mujer simuló meditar mis argumentos y finalmente, indicó el libro de registro.

—Anote su nombre y los demás datos —dijo, amable—: Los ratis se dejan caer cada tres cuartos de hora.

—El dinero mueve montañas —comenté antes de escribir en el cuaderno—: El mundo está así. Antes las discusiones eran ideológicas, de fe y principios, ahora son sobre dólares, índices de ventas y apariencias. La moral se rifa por cuatro chauchas.

—Pieza quince. Por el pasillo al fondo, y luego a la derecha. Tiene que dejar la habitación antes de las doce, y cuide que su bestia no ensucie.

—El tapiz, las sábanas de seda, el plumón. Descuide, hermana. Saldré de este convento antes que cante el gallo.

Mi ánimo era semejante al aspecto de las paredes del cuarto. Gris, desgarrado y a punto de caer por los suelos. De la calle llegaban las voces de los clientes del Touring, mezcladas con los diálogos de las parejas en el pasillo o los cuartos vecinos. Escuchaba sus risas, luego el ruido de alguna puerta al cerrarse, y más tarde, los murmullos ahogados de los que hacían el amor sobre camas que, como la mía, rechinaban al más leve movimiento.

23

Tenía sueño, pero al contrario de Simenon que roncaba a los pies de la cama, no podía cerrar los ojos ni dejar de pensar en lo que había sido mi vida en los últimos meses. El nombre de Griseta resonaba en mi memoria mientras ideaba la mejor forma de enfrentar el retorno a Santiago. Una posibilidad era reabrir la oficina y otra, aceptar la oferta de un amigo periodista que dirigía una revista de sucesos policiales y confiaba en que yo sería capaz de redactar dos cuartillas más o menos hiladas con historias del ambiente.

Luego jugué a fantasear. Imaginé que estaba en una isla y caminaba por los senderos de un monte cubierto de arrayanes, canelos y ciruelillos. Conseguía llegar a un claro, y desde ese lugar veía una bahía en calma por la que avanzaban tres botes pequeños. A lo lejos escuchaba el ruido que producían los remos al entrar en el agua y las voces de los navegantes que se saludaban entre sí a cada cruce de las embarcaciones. Y si aguzaba la vista, reconocía las manchas plateadas de los cardúmenes de jureles o el repentino salto de los salmones que se aventuraban a explorar las orillas de la playa. Mis sentidos bebían de esa paz y todas las furias de la ciudad iban quedando de lado, ínfimas frente a una naturaleza que imponía su magia. Desde donde estaba, también veía algunas casas con techos de tejuelas, desde las cuales salía un humo que caracoleaba sobre los techos y se diluía en la transparencia del cielo azul. Cerca, oía el canto de las ranas y los ladridos de algunos perros que revoloteaban alrededor de una yunta de bueyes. Era el paisaje de la Isla Tranqui en Chiloé que esa noche, en la sucia pieza del hotel fue envolviéndome lentamente, hasta que el sueño venció a la fantasía.

El despertar fue brusco e inesperado. Escuché que golpeaban a la puerta de la habitación y cuando abrí los ojos encontré las frías sonrisas de dos pistolas a diez centímetros de mi cabeza. Tras ellas, reconocí las miradas agresivas de sus dueños y de alguien más que los dirigía desde la entrada. Los tres hombres tenían un aspecto inconfundible de tiras. Los que me apuntaban eran jóvenes. Vestían pantalones de mezclilla y casacas de cuero. El que daba las órdenes era un hombre mayor. Lucía un bigote recortado y ocultaba sus ojos con unas gafas ahumadas.

—De espaldas sobre la cama —escuché que ordenaba uno de los jóvenes. Obedecí de mala gana, y de inmediato doblaron mis brazos y me esposaron. Sentí el duro contacto del metal y hundí mi rostro en la almohada. El que daba las órdenes tomó mi bolso y dio vuelta su contenido sobre el suelo de la habitación.

—Nada —dijo, desilusionado.

Me hicieron poner de pie y cuando quedé frente al policía mayor lo miré fijo a los ojos.

—¿Qué sucede? —pregunté.

—Nosotros hacemos las preguntas —contestó. Hizo una seña a sus hombres, y éstos me obligaron a caminar hacia la salida. En un rincón de la pieza vi a Simenon que observaba con más curiosidad que molestia.

—Anda al quiosco de Anselmo —le dije. Sentí un golpe en la espalda y avancé hasta la salida. Simenon cruzó por entre mis piernas y desapareció por el oscuro pasillo del hotel.

En la calle prevalecían las últimas sombras de la noche. El aire estaba fresco y sólo se oía el paso de los buses por la calle Bandera. Frente al hotel había un vehículo policial y una ambulancia en cuyo interior reconocí lo que debía ser un cuerpo tapado bajo una lona. El espectáculo fue breve. La ambulancia se puso en marcha y me subieron al vehículo de los tiras.

—¿Por qué me detienen? —me atreví a preguntar.

—Federico Gordon. Queremos saber por qué lo mataste.

—De qué están hablando.

—Al comienzo todos dicen lo mismo.

—Quisiera hacer una llamada —dije.

—Esto no es una serie de televisión.

Uno de los policías más jóvenes revisó mi chaqueta y sacó de su interior el portadocumentos donde llevaba mi cédula de identidad, algunas tarjetas de visitas y el dinero que me habían pagado por el trabajo en la playa.

—Se apellida Heredia y porta unas tarjetas de investigador legal —informó el policía que acababa de registrarme.

—¿Investigador legal? —preguntó el segundo de los policías jóvenes—: ¿Qué mierda es eso?

—Heredia —murmuró el jefe.

—Eso dice el carné de identidad.

—Cuando llegué a la Central se hablaba mucho de usted y sus merodeos por el barrio. Después alguien dijo que había muerto en una balacera ocurrida en el barrio Franklin —agregó el jefe.

—¡Rumores! Nunca hay que hacer caso de los rumores ni de los elogios. Llame al detective Bernales y tendrá mejores referencias.

—El «Muñeco» Bernales.

—Agustín Bernales.

—¿Hace cuánto tiempo que no lo ve?

—Medio año o más.

—Le ha crecido el pelo a su amigo.

—No dije que fuera mi amigo.

—El pendejo hizo tres o cuatros buenas pesquisas y ha ido en ascenso —comentó el detective.

—¿Qué pasó en el hotel? —pregunté, intuyendo que el trato de los policías podría cambiar de tono.

—Esto no es un paseo. Cállese y espere nuestras órdenes para abrir la boca.

Pasé las siguientes dos horas a solas en una celda. Mi única compañía fueron los tres Derby que llevaba en el bolsillo superior de la chaqueta y una serie interminable de ideas vagas acerca de lo que había acontecido en el hotel. Federico Gordon era un nombre que no me decía nada y esperaba una oportunidad para hablar y dejar en claro que mi presencia en el hotel era ajena al destino de aquel hombre que suponía muerto antes de lo previsto.

Bernales llegó acompañado por el jefe del grupo que me había detenido en el hotel. Lo observé detenidamente. Ya no era el jovencito que hacía sus primeras armas al amparo de Dagoberto Solís, su padrino, y mi amigo de otras épocas. Parecía sólido, seguro, y su cabellera engominada le daba un aspecto de mayor edad. Sacó un paquete de Belmont y me ofreció un cigarrillo.

—Se ve sucio y avejentado. ¿Viene de una isla? —preguntó. Su voz sonó neutra, como si aún no se hubiera decidido la actitud a tomar en la conversación. Deduje que deseaba mostrarse enérgico en presencia del otro policía, pero que al mismo tiempo quería darme a entender que no me había olvidado.

—¡Qué más quisiera! —respondí—: Una isla es casi con todo lo que sueño.

—Gaete me llamó —dijo Bernales indicando al policía que lo acompañaba—: Quiero oír su versión de la historia.

—Anoche volví a Santiago. No tenía dónde alojar y alquilé una habitación en el *Central*. Antes comí algo en el bar que está al lado del hotel.

—¿Conocía a Gordon?

—No.

—Miente —dijo Gaete—: El dinero que traía en los bolsillos, sus antecedentes. Es un caso claro. Gordon estaba en el bar, conversaron y Heredia se enteró que el finado portaba un buen fajo de billetes. Lo siguió hasta el hotel, simuló el alquiler de la pieza y a la medianoche le despachó un balazo.

—Y enseguida durmió como la Bella Durmiente —dijo Bernales.

Gaete sintió el golpe de la ironía y dio unos pasos por la celda, inquieto.

—Me hago cargo de la investigación —dijo Bernales.

—Es un caso de homicidio, no de narcotráfico —replicó Gaete.

—Gordon pudo ser un traficante. Además, podría revisar a Heredia y encontrar droga entre su ropa

27

—agregó Bernales al tiempo que sacaba un papelillo de coca desde su chaqueta.

—Si usted lo dice —concedió Gaete de mala gana—. No quiero líos ni que vayan con chismes a mi jefe.

—Entonces no hay mucho más que agregar.

Gaete bajó la cabeza, retrocedió un par de pasos y abrió la puerta de la celda.

—Todos quieren sumar puntos de prisa —comentó Bernales—: Un sospechoso, algo parecido a un móvil y listo el grillete.

Di una calada al cigarrillo y contuve el humo dentro de la boca.

—¿Usted lo mató, Heredia?

—Ya le conté mi historia. No sé quién era el tal Gordon.

—En la pieza encontramos el carné de identidad del finado. La encargada registró su ingreso una hora antes que usted. Gordon le dijo que tenía que hacer un viaje y debía estar en el aeropuerto a las seis de la mañana. Pidió que lo despertaran a las cuatro. Cuando la encargada fue a despertarlo encontró la puerta de su habitación entreabierta. Estaba en la cama, desnudo. Alguien le había disparado a quemarropa.

—¿Confirmaron lo del viaje?

—Chequeamos las reservaciones y su nombre no aparece registrado en ninguna línea aérea.

—Bien. No se me ocurre nada más.

—Lo haré llenar una declaración y se podrá ir, Heredia.

—¿Y después?

—Usted es del barrio, y tal vez...

—¿Me estás pidiendo ayuda?

—No —respondió Bernales, evasivo—. Estaba pensando en tomar desayuno. A los dos nos debe hacer falta algo caliente.

5

—¿Qué sabes de los clientes del hotel? —pregunté a Bernales después de probar el café que había pedido a uno de los mozos del *Victoria*, el restaurante ubicado a los pies del edificio donde había estado mi oficina. Bernales iba en la segunda taza.

—Ocho putas con sus clientes. Llegaron antes de la medianoche y no salieron de sus habitaciones. Tres pasajeros que podríamos llamar no habituales. Usted, Gordon y un tercero que se registró como Javier Iturra. En estricto rigor, ninguno calza con el tipo de los clientes que frecuentan el hotel.

—Gordon está muerto. ¿Qué pasa con Iturra?

—Se registró en el hotel dos horas después que Gordon. Subió a su habitación y salió cerca de las tres de la madrugada. La recepcionista estaba medio dormida y lo escuchó pedir un radio taxi.

—Supongo que rastrearon la llamada.

—Llamó a la línea de radio taxis «Galápagos». Lo recogieron a la entrada de la estación Calicanto y lo dejaron en el *Hotel Foresta*, a un costado del Cerro Santa Lucía. El conductor lo notó ofuscado y dice que le hizo preguntas sobre casas de masaje. Al parecer andaba en plan de juerga. El taxista le dio algunos datos en la calle Mosqueto. Puse a tres de mis hombres a recorrer los locales, pero nada. En cuanto a los datos de Iturra, sabremos algo más cuando llegue su ficha.

—¿Y los empleados del *Hotel Central*?

—En la noche sólo están la encargada y un muchacho que ayuda en la limpieza. La versión de ambos coincide. El grueso de la clientela son patines, y éstas saben que hay que cuidar la tranquilidad del lugar. Cada vez quedan menos hoteles en el sector y además, nuestro cuartel está cerca.

—Un lío gordo y espeso.

—Como los que le gustaban a mi padrino Dagoberto —dijo Bernales.

—Dagoberto Solís. Mi mejor amigo y el tira más bueno que he conocido. Uno de estos días lo iré a ver.

—¿Se ha acordado de él, Heredia? Me refiero a cómo murió y a quiénes lo mataron. Siempre he pensado que cuando murió el padrino a usted le faltó iniciativa para llegar al fondo de las cosas.

—Ya nada nos devolverá a Dagoberto —dije, al tiempo que sentía en mi interior los pasos lentos, pero seguros de la culpa—. No quiero más muertes. Una venganza conduce a otra, y al final uno termina metido en un pozo.

—No me interesan sus consejos, Heredia. En cuanto a lo del hotel, olvídese de ello. A nadie le importa lo que sucede en un hotel de mala muerte.

6

Dejé a Bernales a solas con su tercera taza de café y dos o tres ideas que resolver respecto al crimen del hotel. Había tenido éxito de prisa y estaba confundido, como esos perros que meten dentro de un cajón para trasladarlos de casa y después los sueltan en un patio que no conocen. Ladran y ladran, hasta que alguien les da un puntapié. Los que dirigen la sociedad necesitan héroes momentáneos, a los que cubren de laureles y a la primera equivocación, pasan la cuenta. Bernales volaría un poco más alto y caería luego al vacío sin que nadie hiciera nada por detenerlo.

En la calle noté el ajetreo de la gente que iba de compras al mercado. El quiosco de Anselmo estaba abierto, atestado de diarios, revistas con fotos de mujeres desnudas y promociones de discos compactos con temas que iban desde la historia griega a las cartas del Tarot. Conocía al suplementero desde hacia diez años y además de la vecindad nos unía una común afición por la hípica. Anselmo había sido un jinete ganador de dos clásicos y tres especiales hasta que en una rodada sufrió la inmovilidad del brazo izquierdo. A menudo, en noches de cervezas o tragos largos recordaba esas carreras y sacaba de su chaqueta unos recortes ajados y amarillentos, en los que aparecía sonriendo sobre el lomo de un fina sangre.

Introduje la cabeza por la ventanilla del quiosco y sorprendí al suplementero dormitando con la cabeza inclinada sobre su pecho. A su lado, echado sobre una revista, Simenon dormía a pierna suelta, despreocupado de la bulla y de todo lo que no fuera soñar con las más bellas gatitas del vecindario.

—Anselmo Peña —grité. El suplementero despertó sobresaltado y por algunos segundos su mirada vagó por el interior del quiosco. Me sorprendió su aspecto. Vestía como un dandy de los años cincuenta. Polera blanca con rayas negras, zapatos y jockey de loneta, pantalones grises con finas rayas albas y una chaqueta azul con botones dorados.

—Carajo, don. Está igualito —dijo después de abrazarme—. Apenas vi a Simenon supe que usted estaba de vuelta. El guardia del edificio me pasó su recado y en el hotel me enteré que lo tenían encanado. No sabe don, la alegría que me da verlo otra vez.

—También estoy contento de regresar, aunque ya no tenga dónde caerme muerto.

Anselmo sonrió abiertamente, como si acabara de escuchar un chiste.

—¿Qué te causa gracia?

—La suerte, don. La suerte —dijo y ya no agregó nada más. Hizo una seña y me obligó a seguirlo en dirección al departamento. Subimos al ascensor y al bajar en el séptimo piso, tuve la primera noción de que algo anómalo ocurría. Anselmo volvió a sonreír, sacó de sus pantalones un manojo de llaves y abrió la puerta de la que había sido mi oficina.

El lugar estaba tal cual lo había dejado al partir. El escritorio metálico atestado de papeles y con sus dos ceniceros de ónice sobre la cubierta. Mi butacón de cuero y las tres sillas que rodeaban el escritorio a la espera de clientes o amigos. En las paredes, reconocí los estantes con mis libros, la reproducción de la Venus de Botticelli y la foto de un Heredia ya lejano, montado sobre una bicicleta de ruedas gruesas. El único objeto nuevo era un amplio y mullido cojín que tenía bordado el nombre de Simenon en uno de sus costados.

—La suerte, don. La suerte —volvió a decir Anselmo.

—Pensaba que todo esto estaría arrumado en alguna bodega. Nada más falta que... —comencé a decir al tiempo que me abalanzaba hacia el cajón del escritorio donde solía guardar la botella que daba sentido a esas tardes de ocio en que mi ánimo se deslizaba lentamente por la ventana principal.

—Como a usted le gusta, don —comentó Anselmo al verme mirar con asombro la botella de pisco que había sacado del escritorio.

—Explícame lo que ha pasado aquí, Anselmo —dije casi riendo, mientras buscaba refugio en el butacón a cuya espalda se veía la Estación Mapocho.

—¿Se acuerda que antes de irse le pedí unas lucrecias prestadas?

—No.

—Diez mil. Dos lindas y relucientes Gabrielas.

—No.

—¿Se acuerda que me dijo que no era préstamo?

—No.

—Las invertí todas en la quíntuple del Chile. Un rajazo tremendo, don. Cinco carreras al hilo, de las cuales tres fueron batatazos de buena ley. Gané plata como para mantener a una bataclana.

—¿Y?

—Pensé en escribirle, don. Pero, justo en esos días la dueña del departamento me había comentado que iba a arrendarlo, y sus cosas mandarlas a una casa de remates. Mala cosa, don. Hablé con ella y calculamos la dolorosa. Le pagué la renta atrasada, más un año por adelantado. Sabía que usted iba a volver y necesitaría su cotorro, don. Y la tincada no me falló. Usted sabe, don, el zorro pierde pelo pero no las mañas.

Confuso, sin saber cómo dar las gracias al suplementero, me puse de pie y di cinco o seis pasos, hasta quedar frente al cojín.

—¿Otra de tus ideas?

—Pitita, mi sobrina, hizo un curso de bordado y comenzó a vender a los parientes sus primeros trabajos. Pensé que al viejo Simenon le vendría bien. Mal que mal, el pobre tiene como quince años y eso equivale a sesenta años de los humanos. En una de esas, hasta se nos despacha cualquier día de estos.

—¿Qué quieres que te diga, Anselmo?

—Nada, no diga nada, don. Entre gente de ley las cosas son así. Sólo, y por pura curiosidad, rájese con una copita del botellón que acaba de sacar del escritorio.

Abrí la botella y puse tres dedos de licor en un par de vasos. Anselmo tomó el suyo y lentamente se lo llevó a los labios. Lo observé apreciar el licor y a duras penas contener una tos brutal. Su rostro enrojeció, y sin decir nada, depositó el vaso en una esquina del escritorio.

—¿Qué tal? —le pregunté.

—En caso de emergencia puede servir como barniz o aguarrás. No sé cómo puede tragarlo. Yo prefiero el tintolio.

—Es cosa de tiempo y cariño.

—¿Quién sabe? —agregó Anselmo. Enseguida, y al tiempo que se acercaba a la puerta, añadió—: Lo dejo para que se acomode, don.

—Espera. Tengo algo más de qué conversar, Anselmo.

—Usted dirá, don.

—¿Qué se dice en la calle del tipo que mataron en el hotel?

—Nadie lo conocía. Un gallo elegantón, bien vestido.

—¿Conoces a la gente del hotel?

—El dueño es un turco que aparece dos veces al mes. La recepcionista se llama Dora, y es una gorda con historia. En su juventud trabajó en los quilombos de Hurtado de Mendoza. Tiene un muchacho que le ayuda, el Panchote. Es algo mamerto. Parece que desde chico le han dado poca leche y mucha macoña.

—Dicen que un segundo hombre se mandó a cambiar poco después de la medianoche. Podrías conversar con el muchacho y tratar que te cuente su versión de lo sucedido. Nunca está de más escuchar una buena historia.

7

Anselmo se fue. Alcé la botella, observé su contenido transparente y la guardé en la gaveta de costumbre. Durante mi estancia en la playa había aprendido a controlar los viajes hasta la botella y algo, que tal vez tendría que ver con la edad o cierta tranquilidad interior me decía que era posible sobrevivir sin ella, relegándola al olvido hasta que el tedio o el desgano pidiera un vuelo distinto. Me senté junto al escritorio y tomé el montón de cartas que había llegado durante mi ausencia. La mayor parte eran promociones comerciales, ofertas de créditos de consumo, equipos computacionales y viajes a Cancún. Nada de eso me servía. Un sobre abultado contenía la extensa carta de una señora que decía estar amenazada de muerte por sus vecinos del departamento en que vivía. Daba una infinidad de datos que se remitían a los años sesenta y concluían con un supuesto desperfecto intencional del ascensor. Había mucha soledad y locura en cada línea y sin remordimientos la arrojé al papelero. Pensé en la última carta que Griseta me enviara a la playa. En ella no mencionaba el término de nuestro romance; sólo contaba que había entrado a estudiar sociología en la universidad y trabajaba los fines de semana en una tienda del centro comercial Plaza Oeste en Maipú. Vivía en la casa de una viuda que, más por compañía que dinero, le arrendaba una habitación con derecho a desayuno y baño independiente. Decía estar bien, a pesar del esfuerzo que le significaba estudiar y trabajar a la vez. No quería pensar mucho en ella pero no pude evitarlo.

Era una historia simple y llena de esos típicos lugares comunes que unen a una pareja. Ella era la hermana menor de un amigo y había aparecido una tarde en mi departamento solicitando mi ayuda. Había viajado desde Talca y estaba sola. Lo demás había sido ver brillar el sol a través de la ventana y creer que ella era mi definitivo amor.

Pero eso era el pasado, y en esa tarde del regreso, era un tipo solo, en una casa sola y sin nada por delante. A veces miraba hacia atrás en el tiempo y me veía comprometido en empresas vagas, desgastadoras, de las cuales al cabo de unos meses nadie se acordaba. Solo, con la manía de recomponer el pasado, sujeto a lo inexistente, como un bote que eternamente se empeña en navegar contra la corriente. Tal vez, como otros amigos a los que había conocido en el pasado, comprendí que quienes controlan el mundo no admiten cambios que afecten sus gordas bolsas de intereses y miserias. Y que por eso, para invertir el fuego triste de la derrota había que acumular la esperanza y las ideas. Y eso no era fácil. Muchos de esos amigos estaban muertos. Otros cambiaban sus vestiduras y aprendían los nuevos pasos de un baile que los enloquecía, hasta que olvidaban lo más puro y simple que había en ellos.

Volvía a la oficina porque tenía que hacer lo que el corazón me indicaba. Siempre habría otra pequeña empresa con la cual comprometerse, aunque su resultado fuera la efímera sombra de la justicia. Así había sido mi vida y así seguiría siendo en el futuro. No podía ni quería cambiar. Y las dudas eran parte de ese juego. Siempre habían existido, porque en el mundo nada es cierto, salvo el acto de vivir, día a día, aferrado a cosas simples, auténticas, tratando de dejar una huella, limpia, anónima, en la cual reconocerse. Tenía que llenar mi cabeza de nuevas dudas y dejar que el paso de los días me envolviera con la magia de respirar, aunque sólo fuese para seguir recorriendo el barrio, deslumbrado por sus colores o el ir y venir de su gente.

A pesar de los líos de la noche pasada y del interrogatorio de los tiras, me sentía alegre. Estaba en mi oficina y la visión de los estantes repletos de libros me daba una extraña seguridad. En ellos estaban aquellas frases que solía recordar para reafirmar mis pensamientos o estados de ánimo. Entre esos libros debía estar la carpeta azul con mis poemas escritos en la universidad y que por años, en secreto, revisaba, no como si fueran realmente míos, sino de alguien lejano, de ese joven que ya no volvería a ser, por edad y por dolores. Alguna vez, incluso había pensado en llevarlos a una imprenta para que hicieran con ellos un cuadernillo. Pero al final, me derrotaba la idea de lo inútil. Por ahí y por acá, había muchos poetas mostrando sus trabajos. Algunos auténticos y vitales; otros, sólo sentimientos baratos de tipos que escriben con demasiada cerveza en el cuerpo.

Pensé en un libro de Manuel Rojas que había leído en otra época, y como no tenía certeza de las palabras que deseaba recuperar, lo busqué en uno de los estantes. La cita estaba remarcada con lápiz rojo: «Dame tiempo para gozar del cielo, del mar y del viento y prosigue vendiendo tus quesos o tus preservativos; dame tiempo para vivir y muérete contando tu mercadería, convenciendo a los estúpidos de la bondad de tu programa de gobierno, leyendo tu diario o traficando con tus productos, siempre más baratos de lo que los pagas y de lo que los vendes. Si además de tiempo me das espacio, o por lo menos, no me lo quitas, tanto mejor: así podré mirar más lejos, caminar más allá de lo que pensaba, sentir la presencia de aquellos árboles y de aquellas rocas».

Devolví el libro a su sitio, tomé mi chaqueta que colgaba del respaldo de una silla y salí de la oficina. Un sol otoñal se deslizaba por las veredas, alumbrando los pasos de la gente, los colores de sus vestimentas y sus rostros. Encendí un cigarrillo y me detuve en la esquina de Bandera y Aillavillú. Estaba en mi barrio y entre su gente. Hacía la izquierda podía ver el letrero de la *Sombrerería Olguín*, el *Hotel Bandera* y los letreros llamativos del *Rey del Pescado Frito*. A mi derecha, la calle Aillavillú. El restaurante *Victoria*, la entrada a un salón de pool, una pajarería, los muros colorinches de *La Piojera*, la *Tienda Scutti*, el *Touring Bar*, el restaurante *Chicha y Chancho*, y a la vuelta de éste, el *Tú y Yo*, un café que ofrecía el espectáculo de unas obesas y cansadas bailarinas. Sí, estaba en mi barrio y entre su gente.

Caminé despacio frente a la entrada de esos lugares, conversé con algunos de los vecinos que me reconocieron y finalmente entré a la *La Piojera* en busca de medio pato de pipeño y un sándwich de pernil, las especialidades de la casa. El local mantenía su aspecto de costumbre. Mesas de madera ocupadas por los parroquianos, pipas de chicha acomodadas en sus largos pasillos, afiches de bebidas en sus paredes de adobe, unas cuantas banderitas chilenas y su largo mesón, en el que una veintena de clientes apoyaban sus copas, al tiempo que miraban de reojo las fuentes repletas de huevos duros, picles, arrollados y perniles de cerdo. Era un cuadro miserable pero alegre. Clientes de rostros colorados que bebían solos y en silencio o que formaban ruedas a los que a cada rato entraban vendedores de navajas y juegos de dominó.

Me senté en un rincón, hice mi pedido y antes que este llegara a mi mesa, vi aparecer a Anselmo que traía en sus manos un ejemplar del diario *La Segunda*. Se detuvo frente a la barra y desde ahí examinó a la clientela hasta que me reconoció.

—La fama lo persigue, don —dijo, al tiempo que agitaba el diario a modo de saludo.

—¿Qué te trae con tanta prisa?

—Lea, don —agregó, alcanzándome el diario abierto en la página de las crónicas policiales.

«Efectivos de Investigaciones efectuaron una redada nocturna en los alrededores de la Estación Mapocho para investigar el asesinato ocurrido en el hotel *Central*. La policía civil detuvo a varios sospechosos, entre los que se encontraba un tramitador legal de apellido Heredia».

—¿Qué carajo es eso de tramitador legal? —me pregunté en voz alta.

—Un leguleyo sin título o algo así. Siga leyendo, no se preocupe del sencillo, don. Lo que viene es más interesante.

«Según informes extraoficiales —leí en voz alta—, la víctima se llama Federico Gordon Iturriaga, contador auditor y abogado, de cincuenta y ocho años de edad, que hasta el día de su muerte se desempeñaba en la División de Auditoría de la Contraloría General de la República. Gordon Iturriaga era viudo y no tenía hijos».

—¡Qué rara anda la gente, don! ¿Qué podía estar haciendo un manyapapeles en ese hotelucho? Un vicioso, tal vez. Más de alguna vez me han dicho que ahí van viejos con jovencitas a echar el quiltro al agua. O tal vez andaba detrás de un poco de dicha en movimiento...

—¿De qué?

—Coca, don.

—Tengo la tincada de que se trata de algo diferente. Pero no soy adivino.

—Si se trata de adivinar consulte con su nueva vecina. Se llama Madame Zara y arrendó el departamento que antes ocupaba el gringo Stevens.

—¿Qué tiene que ver esa vecina?

—Mentalista, quiromántica y adivina. También echa el Tarot y ve las cenizas de los puchos. Arrendó el departamento cuando usted andaba tomando el fresco en Las Cruces.

—¿Por qué no vas a joder a Gardel?

—No se enoje, don. Yo le decía no más, por si acaso. Uno a veces anda tan confundido y angustiado, que saber cómo viene la mano, hace bien.

Iba a decir algo más, cuando llegó un mozo con el pedido. Anselmo abrió sus ojos con entusiasmo al ver el rebosante y apetitoso sándwich de pernil.

—¿Se te antoja uno, Anselmo? —le pregunté, al tiempo que hacía una seña al mozo para que esperara.

—Se me antoja pero ni modo. Tengo alto el colesterol y el médico me prohibió las grasas.

39

Pagué el pedido al mozo y concentré mi interés en el pernil.

—Cuando termine con eso sería bueno que fuera a su oficina.

—¿Cuál es la urgencia?

—Conversé con el Panchote y el muñeco guardaba un as bajo la manga. O mejor dicho, un bolso que pertenecía al segundo hombre.

—¡Recién me lo dices!

—Para qué se enoja, don. Lo vi tan entusiasmado con el sanguchito.

Miré con nostalgia el proyecto de almuerzo y me puse de pie.

—¡Vamos! —dije a Anselmo y comencé a caminar hacia la salida.

Al llegar a la puerta, miré a mis espaldas y vi al suplementero que se empinaba al seco la caña de pipeño.

8

—Lo descubrí al tirante, don —dijo Anselmo luego de mostrar el bolso de tevinil azul que había dejado sobre el escritorio—: El gil del Panchote andaba con zapatillas nuevas y eso llamó mi atención, porque con lo que ese pelagatos gana en el hotel apenas le da para manyar y darse media vuelta en el aire. Noté que las zapatillas eran de las caronas y por ahí le entré a la conversa. En pocas palabras, don: la pieza que ocupa Panchote está al lado de la que alquiló el extraño y cuando éste se preparaba para marcharse, el muchacho escuchó los ruidos, espió por la puerta y lo vio salir. Después se dio cuenta que la habitación del pasajero había quedado abierta y aprovechó la oportunidad para intrusear. Suele hacerlo cuando las parejas desocupan las piezas, buscando algunas chauchas, restos de chocolates o cigarrillos. Pero, esta vez encontró el bolso y le aparecieron treinta mil pesos, unos cuantos papeles y un pañuelo. Cuando en la mañana supo lo sucedido a Gordon, tuvo miedo y antes que llegara la policía, habló con la recepcionista. La gorda le aconsejó morir en la rueda.

Acerqué el bolso y lo abrí. Contenía una infinidad de hojas de diarios amuñadas con la intención de darle volumen. Las saqué todas y en el fondo, descubrí un pañuelo café.

—No es nuevo, pero está limpio —agregó Anselmo—: Panchote jura y rejura que el pañuelo y los papeles era todo lo que contenía el bolso.

41

—Además de los treinta mil pesos.

—Es lo que más tiene asustado al muchacho. Ya antes estuvo en cana por andar de lanza en *La Vega*.

—Dile que no se preocupe. Acusarlo con los tiras no beneficia a nadie y conviene tenerlo de nuestra parte por si el extraño regresa.

—¡El asesino siempre vuelve al lugar del crimen!

—Si así fuera, bastaría con sentarse a esperar con un trago y dos buenos libros.

—No me rete, don. Sólo repito lo que escucho.

—Diremos que el bolso estaba debajo de la cama y se lo pasaré a Bernales para que ordene un examen dactiloscópico. Lo más probable es que sólo aparezcan las huellas de Panchote y la tuya.

—¡Eso sí que no, don! No quiero que los tiras me hagan bailar en la calle de la sonrisa. Estoy viejo para esos trotes.

—¡Callados, entonces! Al fin de cuentas no son muchas las velas que tenemos en el entierro. Dejé de ser sospechoso para los tiras y salvo la curiosidad…

—Así se habla, don. Nada de perder tiempo en trabajos que no rentan.

—¿Qué pasa? Te dejo solo unos meses y tragas la pastillita del postmodernismo. Seguro que estás lleno de tarjetas de crédito y teléfonos celulares.

—Si va a joder, mejor me voy —dijo Anselmo—. Con usted no se puede, don.

—¿Qué? ¿Te di en los cachos?

Lo vi salir de la oficina y desde la ventana que daba a la calle Aillavillú, observé cómo Anselmo llegaba a su quiosco y se ponía a colgar algunas revistas. Regresé junto al escritorio y por un instante examiné el pañuelo que había dejado encima del mueble. Era fino, tenía bordadas las iniciales del fabricante y olía a esos perfumes cazabobas que vienen de París.

Fui a la cocina y luego de poner a hervir agua, recorrí las habitaciones del departamento.

En el dormitorio, junto al costado izquierdo de la cama, encontré un libro de Prevert que pertenecía a

Griseta. Recordé que en esa pieza habíamos hecho el amor muchas veces y al cerrar los ojos creí estar en uno de esos momentos en que sólo nos importaba el círculo perfecto de las caricias y la felicidad era un rayo de sol que caía sobre los pechos desnudos de Griseta.

El pito de la tetera espantó mis recuerdos. Corrí hacia la cocina, preparé el café y volví a la oficina. Tendría muchos días de espera antes que empezaran a llegar los clientes. Imaginé sus rostros compungidos, con esa actitud de la gente que está frente a un médico y espera una respuesta a sus dolencias. Vendrían los esposos engañados. Las esposas con sus balances minuciosos de reyertas cotidianas. Los padres que buscan a sus hijos y hablan en voz baja, como pidiendo perdón. Las expectativas no eran para ilusionarse, pero estaba dispuesto a efectuar cada trabajo y recuperar a través de ellos el paisaje de la ciudad que, en apenas seis meses, parecía cambiado, al menos en apariencia, porque sabía muy bien que tras los edificios nuevos o las tiendas recién inauguradas se ocultaban los sentimientos de siempre, los mismos sueños e interrogantes; las mismas tragedias cotidianas que no eran titulares en los diarios, pero en las cuales, las más de las veces, penetraba para satisfacer un precario anhelo de justicia.

Oí el timbre del teléfono y al descolgar el fono, escuché una voz grave de mujer que parecía hablar a mis espaldas.

—Heredia —murmuró—: Sé mucho de usted y tengo gran interés en conocerlo.

La curiosidad me mordió las orejas y mientras trataba de reconocer aquella voz, no atiné a responder.

—Disculpe. No me he presentado —añadió la voz—: Soy Armenia Pérez, Madame Zara, su vecina.

Un escalofrío recorrió mi espalda. En el pasado había recibido las llamadas de una mujer que decía saber todo de mí y me invitaba a conocerla. Al principio pensé en una broma, pero después de tres meses de lo mismo, se convirtió en una pesadilla que sólo terminó el día en que descubrí, en un oscuro y sucio departamento de la calle San Diego, a una neurótica que llamaba a los hombres que el azar de la guía telefónica ponía a su alcance.

—Sé lo que está pensando, Heredia. Mi llamada no es una broma ni tengo intención de hacerle daño.

—¿Cómo? —balbuceé, sorprendido.

—Soy adivina —insistió la mujer, y luego escuché su risa, entrecortada—: Lo espero. Sé que está intrigado y quiere conocerme.

Dos minutos más tarde estaba golpeando a la puerta de la que colgaba un letrero que decía: «Madame Zara, mentalista de fama internacional».

Abrió una mujer joven que vestía un delantal rosado.

—Espere en la sala de consultas —dijo, al tiempo que me pasaba una papeleta.

La muchacha desapareció por un pasillo y yo leí el volante.

«Atención Santiago y sus alrededores, Madame Zara le ayudará en sus problemas íntimos: amor, negocios, viajes, matrimonios, fracasos o algún mal desconocido. Si sufre cualquier problema venga a verme. Esto no es propaganda, los hechos me recomiendan. No confundirme con otras. Visíteme con toda confianza. Yerbas medicinales para la artritis, diabetes, gota, reumatismo, impotencia sexual, problemas vaginales. Ofrezco talismanes y sahumerios. Se hacen limpias. Visíteme hoy mismo. Precios módicos».

Milagros a bajo costo, pensé mientras entraba en una salita en penumbras e impregnada de incienso. Gruesas cortinas tapaban las ventanas y en medio de la sala había una mesa redonda, sobre la cual vi un mazo del Tarot y una vasija de piedra en cuyo fondo reconocí restos de ceniza. Me senté en una butaca junto a la mesa y no antes de que terminara de acomodarme, escuché unos pasos. Traté de incorporarme pero la misma voz del teléfono me retuvo.

—No se moleste, Heredia.

44

Frente a mi apareció una mujer baja y morena; de ojos grandes y negra cabellera que caía sobre sus hombros cubriendo una parte de la túnica azul que llevaba. Calculé que tendría unos bien conservados sesenta años. Como si hubiera adivinado mi pensamiento, sonrió y enseguida puso a mi alcance un pocillo que contenía un brebaje verdoso.

—Infusión de Yerba Buena. Sirve para alejar las malas influencias.

Madame Zara se acomodó en otra silla y luego de echar su cabellera hacia atrás, me examinó con detención.

—Fuerte, desconfiado, sentimental y últimamente, confundido. ¿Me equivoco?

Moví los hombros sin saber qué decir.

—La fortaleza se aprecia a simple vista. La desconfianza, en tu modo de sentarte. La confusión, en la mirada.

—¿Y lo sentimental? —pregunté, siguiendo el juego.

—En tus manos. Dedos largos, habituados a las caricias.

—¿Algo más?

—¿En qué mes naciste, Heredia?

—Julio. 21 de julio, como Hemingway.

—Un signo complicado. El de un chico que sueña con volar pero que al mismo tiempo ama el lugar donde nació y el barrio donde vive. El de alguien para quien el lugar más hermoso es el que está por conocer, y que siempre se alistará en el bando de los que pierden la guerra. Un idealista sin suerte.

—Creo que estoy en desventaja. Usted parece saber todo de mí, y yo en cambio...

—Llevo cinco meses en este lugar. Antes trabajé en Iquique, siempre atendiendo a las personas que quieren saber más de ellas mismas. Desde que me instalé en este departamento he oído cosas de ti, y como vamos a ser vecinos durante algún tiempo, decidí conocerte.

—¿Algún tiempo?

—Eso dicen las cenizas —dijo Madame Zara mostrando la vasija de piedra.

Probé la infusión y su sabor me resultó agradable. La mujer pareció más relajada y durante la siguiente media hora hizo un recuento de sus facultades adivinatorias. Decidí creerle. En sus ojos había un fondo de verdad que se impuso a mi natural desconfianza hacia los charlatanes. Le hablé de mi estadía en la playa y de retomar mis investigaciones.

—Una muerte te ronda —dijo de pronto, interrumpiéndome.

Le hablé del muerto en el *Hotel Central* y casi sin darme cuenta la puse al tanto de los detalles, incluido el extraño pasajero que había desaparecido a media noche.

—Siento vibraciones —dijo, y enseguida preguntó—: ¿Traes el pañuelo?

Saqué el pañuelo de mi chaqueta y se lo pasé. Ella cerró sus ojos y pareció buscar algo en la oscuridad de la habitación.

—Un secreto y una mujer. El dueño de este pañuelo buscaba vengarse por algo sucedido en el pasado —dijo al cabo de unos minutos.

Tuve la impresión de que Madame Zara atravesaba una cortina para mí ignorada hasta ese momento. Quise preguntar algo, pero la mujer me contuvo, levantando una de sus manos.

—No logro ver nada más. Seguramente el pañuelo ha pasado por muchas manos.

—No sé qué decir.

—Son datos que puedes tener en cuenta.

La mirada de la mujer me recorrió de pie a cabeza, y sin saber muy bien la razón, sentí miedo, me puse de pie y pretexté un compromiso para terminar la visita.

—Ya te acostumbrarás. Como muchos otros hombres, crees que sólo vale lo que se puede comprobar. Pero el ser humano es más complejo y en su cerebro hay potencialidades insospechadas para el común de la gente. Los sueños anticipan esos poderes y cuando uno tiene cierta percepción especial, puede ver el aura que rodea a las personas. Sus colores indican más que cualquier huella digital.

Salí de la consulta de Madame Zara con la sensación de ir desnudo. Mis dudas tropezaban unas contra otras. Lo del extraño podía ser verdad o charlatanería y sin embargo, al regresar a mi oficina, no pude pensar en otra cosa, hasta que apareció Simenon rasguñando el bolso del pasajero desconocido. Lo dejó en medio de la oficina y metiendo su cabeza en el interior, comenzó a sacar los papeles amuñados.

Lo observé mientras jugaba con las bolas de papel. Parecía entretenido y preocupado al mismo tiempo. De pronto, se detuvo a mirar con atención un papel que acababa de sacar del bolso.

—¿Descubriste un vale canjeable por tres ratas de laboratorio? —le pregunté.

—Más te vale prestar atención.

—¿Qué encontraste? —volví a preguntar, al tiempo que me acercaba a Simenon y descubría que entre sus patas delanteras tenía atrapado un recibo de compra con tarjeta de crédito. Pertenecía a *Mastercard* y había sido emitido por el restaurante *Los Acacios*. El titular de la tarjeta se llamaba Domingo Hidalgo Matus.

—Si supieras leer sabrías que te has ganado una enorme ración de salmón a la plancha —dije a Simenon, al tiempo que lo tomaba entre mis brazos y acariciaba su cabeza blanca. Me miró sin entender nada y moviendo una de sus patas, trató de recuperar la papeleta.

—Pareces entusiasmado —dijo Simenon.

—Creo que es hora de pedir algunos consejos —respondí.

9

—Nada ha cambiado y como otros, hago lo que se puede. Lo justo para seguir equilibrado en la cuerda floja y que nadie te joda por aspirar a más de la cuenta. Estoy de vuelta, ya lo ves. Añoraba la ciudad, los viejos mesones, el barrio con sus olores y su gente. Ayer traté de volver al City Bar, pero los recuerdos, inoportunos como siempre, me cerraron la puerta. Entonces pensé en venir a verte. No estás mal en este lugar. Muchas personas quisieran tener abundante sol durante gran parte del día. Es cierto que ellos están vivos, o al menos eso creen. Cumplen horarios y los sábados por las tardes van al fútbol o a un centro comercial. Se atiborran de cerveza y salsas, y tienen el buen tino de no pensar en la vida. Eso nos jodió, Dagoberto. Pensamos mucho, hicimos nuestro cada problema del mundo y para peor de males, cometimos el pecado de querer cambiar la sociedad. No, no me arrepiento. Si hubiera oportunidad lo haría de nuevo, o mejor aún, creo que hay que darse esa oportunidad y hacer las cosas bien, sin pensar que se puede llegar a la felicidad a garrotazos o siguiendo fórmulas matemáticas. Ya ves que no cambio. De seguro te preguntarás qué estuve bebiendo la noche pasada. Lo hacías cada vez que yo te planteaba estos temas. Pero, insisto en que el lugar no está tan mal. Claro que la vez pasada no me pareció tan agradable. Traía mucho dolor. El recuerdo de la encerrona en el mercado, los matones destazándote. No he podido olvidarlo. Tampoco he olvidado aquella época en que éramos más jóvenes, con menos kilos y canas, y sobre todo con menos desgano. Mala suerte, amigo. Jugamos a destiempo y aunque perdimos, conservamos la dignidad. No es necesario que digas nada. No vine en busca de sermones, aunque debo reconocer que tus consejos me han hecho falta. ¿En qué estoy? Un tipo murió en un hotel y otro salió corriendo a la medianoche del mismo lugar. Parece simple. Sobre todo que dejó una huella fresca y fácil de seguir. Lo de fácil es una manera de decir. He perdido toda esta mañana tratando de averiguar en un banco los datos del extraño. Hidalgo es su apellido. Dejó un comprobante de pago con tarjeta de crédito. Creí que sería fácil, pero he andado de secretaria en secretaria y de negativa en negativa. Y no es sólo el tiempo perdido, sino que también comprobar que el encanto ya no es el mismo de antaño. Me tratan de usted y me ofrecen asiento. Yo las miro con intención, pero las muchachas ya no responden. ¿Me estaré volviendo viejo? Todo es aparentemente confidencial en esos malditos lugares. A cada una de las secretarias le conté la historia del primo que viene de provincia y quiere ubicar a su pariente. El único dato que tengo es el número de su tarjeta, señorita. Una, diez, treinta veces. Nada. Ni siquiera tenía la placa del Servicio de Investigaciones que compré años atrás en el Persa Bío Bío. Sé que te daba rabia, pero en más de una ocasión me sacó de apuros. Al común de la gente basta con mostrarle una placa o un timbre para que se caguen en los pantalones. Eso tú lo sabías bien. Al final, tuve que recurrir a un empleado bancario que conocí en el Hipódromo Chile. Uno de esos pelmazos que se creen dueños de lo que les rodea, pese a que a fin de mes, reciben un sueldo miserable como la mayoría. Frente al brillo de unos billetes abrió los ojos con entusiasmo. El tal Hidalgo resultó ser dueño de un supermercado en San Bernardo. Tiene sesenta y cinco años. Esta casado y tiene dos hijos ya mayores. No sé nada más. Los datos estaban en una solicitud de un préstamo que pidió hace cuatro años para ampliar su negocio. ¿Tú qué crees? ¿Qué podía estar haciendo ese tipo en el *Hotel Central*? Que lo vaya a ver y le apriete las clavijas. Eso voy a hacer esta tarde o mañana. ¿El muerto? Era más o menos de su edad. ¿Extraño? Ninguno de los dos encaja entre los clientes habituales del hotel. Ignoro si se conocían. Lo peor es que se me hace un mundo viajar hasta San Bernardo. Y nadie me paga un cobre. ¿Por qué? Tal vez lo he tomado como una manera de reintegrarme al trabajo. Cada día me cansa más hacer preguntas, meterme en sitios extraños, arriesgar el pelo por cualquier cosa. Ya sé que me quejo por costumbre. A ti no se te puede engañar. Trabajaré dos o tres días en el asunto y después, al basurero. Entre tanto es posible que aparezca un cliente. Me conformo con poco. Sí, no es malo este lugar. Tranquilo, ayuda a pensar. ¡Carajo, que nos tocó malo el naipe! Y a ti peor que a nadie. Aunque quién sabe. Siempre han dicho que al infierno van a dar esas chicas malas que tanto te gustan. Claro, porque en el infierno debes estar. De eso no tengo duda, cabrón.

10

Puse seis claveles rojos sobre la tumba de Solís y salí del cementerio por la puerta que da a la calle Recoleta, dejando a mis espaldas la irrealidad de un diálogo que me propuse no repetir. Era una mañana fresca y un halo rojizo en el cielo cubierto de esmog presagiaba la llegada de esos días calurosos en los que daban ganas de huir de Santiago y sus calles, atestadas de vehículos y gente. Detuve un taxi y le pedí al conductor que me dejara frente a la Academia Diplomática Andrés Bello. A llegar a destino, esperé a que el auto se alejara y caminé hasta el *Inés de Suárez*. El bar tenía en la entrada un aviso de venta, pero en su interior conservaba sus mesas de madera, a lo largo de un salón frecuentado por clientes tan añosos como los espejos que colgaban de las paredes. Deseché la idea de almorzar y bebí una copa de vino. Sólo una y lentamente. Quería permanecer con los sentidos despiertos para unir los hilos que aparentemente asociaban la muerte de Gordon a un extraño de apellido Hidalgo. Suposiciones, ideas vagas que parecían ser parte del mismo rompecabezas. Observé a unos jugadores de dominó y pensé en el azar de los números que se iban anteponiendo con lógica implacable, ficha tras ficha. La clave consistía en arriesgar la pieza justa, obligar al contrario a la duda y actuar con seguridad. Y así también lo haría en el momento de interrogar a Hidalgo. Sin embargo, antes de iniciar el viaje a San Bernardo, pensé que estaba a punto de entrar a un juego que no me correspondía. Dudé por un instante y dejé que un cansancio antiguo, desencantado, se apoderara de mi ánimo en el momento en que el vino llegaba a su fin y debía resolver entre pedir otra copa o salir del bar.

Griseta me ayudó a tomar una decisión y sin pensarlo dos veces, caminé hacia la Plaza Brasil, al centro de un barrio que recordaba lleno de casonas que el tiempo había maltratado y que los decretos alcaldicios terminarían por borrar del paisaje dando paso a la construcción de departamentos liliputienses.

Me detuve frente al antiguo cine *Alcázar*, ocupado ahora por un restaurante de comida china, y ubiqué la casa de Griseta, una construcción añosa, pintada de azul y con ventanas altas que en su parte superior sostenían a cuatro ángeles carcomidos por la lluvia. Presioné el timbre y tras una espera de dos minutos una anciana, que cubría sus cabellos con un pañuelo de seda floreado, salió a atenderme. En sus ojos claros había una expresión de tranquilidad, como si a su edad ya nada la pudiera sorprender. Pregunté por Griseta y ella dijo que volvería alrededor de las seis de la tarde. En mi reloj daban las cuatro. Agradecí a la anciana y le dije que regresaría a la hora señalada. La mujer asintió con un movimiento de cabeza y sin preguntar nada, cerró la puerta.

Compré una cajetilla de Derby en un boliche frente a la Plaza Brasil y luego me instalé en un escaño desde el cual se veía la casa. Era una tarde tranquila. Cuatro niños subían, incansables, a los resbalines y columpios, mientras, a la sombra de un árbol, un viejo andrajoso y con el torso al descubierto, se despulgaba, ajeno a las miradas de la gente que pasaba.

Griseta apareció cinco minutos antes de las seis. Su cabellera negra había crecido hasta los hombros y un ajustado bluejeans acentuaba la atracción de sus caderas. La vi bajar del bus y de inmediato caminé a su encuentro. Deseaba estrecharla en mis brazos, pero sólo me concedió un beso fugaz que apenas me dio tiempo de sentir sus labios en una de mis mejillas.

—Sabía que vendrías. Que no sería necesario un llamado mío, como habíamos quedado de acuerdo —dijo.

—¿Querías verme?

—A veces sí, a veces, no.

—Tu entusiasmo no es muy grande.

—¿Tengo que volver a repertir todo de nuevo? Mis razones, nuestros acuerdos.

—No —respondí sin saber qué más decir.

—Demos un paseo —agregó Griseta.

—¿Un paseo?

—Eso decías cada vez que deseabas conversar algo importante. Eres el hombre con el que más he caminado en mi vida.

—Te ves bien —le dije.

—Tú no. Si de mí dependiera, te cortaría los cabellos y te daría raciones extras de comida. Luces demacrado y viejo. Pero no te deprimas, tu aspecto no es precisamente lo que más me gusta de ti.

Sus palabras ásperas no me engañaron y por el brillo de sus ojos supe que deseaba acurrucarse entre mis brazos.

—Caminemos —insistió.

No llegamos muy lejos, porque antes de dar el primer paso hacia un andar incierto, buscamos el hotel más próximo donde, sin prisa, encendimos el fuego que necesitábamos para recobrar la dimensión de nuestros cuerpos. Besé su espalda siguiendo la línea arbitraria de sus pecas, acaricié sus nalgas apretadas, su vientre y sus pechos lisos, y la dejé subirse encima mío, a horcajadas, hundiéndose y hundiéndome, hasta que la pieza del hotel recuperó la oscuridad de otras noches.

—Es lo que más añoraba de ti —dijo, recorriendo mi pecho con sus dedos suaves—: Algunas noches tu recuerdo era insoportable.

—Desde que te fuiste de la playa no hice el amor con nadie.

—¿A quién quieres engañar, Heredia?

—Estaba solo, seco, cansado.

—Y bebías mucho, ¿cierto?

—Algunas noches más que otras.

—Creo que eso era lo que más me molestaba.

—Siempre pensé que lo habías llegado a entender.

—Que no es lo mismo que aceptar —respondió Griseta. Luego, apartó su mano de mi pecho, y preguntó—: ¿A qué volviste?

—¿Necesitas una respuesta?

—No es por mí, Heredia. No trates de justificar este momento. Me deseabas y te deseaba, eso es todo. Nada cambia.

—¿Nada?

—Hubo un tiempo en que creí que habría algo entre los dos. Después, comprendí que yo era un estorbo. Necesitabas de mí a ratos y luego desaparecías en tu oscuridad. Comprendí que sacarte de tu mundo era una tarea para la cual no estaba dispuesta. Estás atado a un pasado que a mí no me corresponde y quiero hacer mi vida sin tener que arrastrar sombras ajenas. Es así, Heredia. Simple, sin rollos, sin rencor.

—¿Tus años y los míos?

—Es tu historia, tu manía de quedarte al margen. De no querer hacer algo por ti mismo.

—Te has vuelto más dura, Griseta.

—Crecí, Heredia.

—¿Y esta tarde?

—Un espacio, un momento, real, deseable, pero con un fin.

La antigua agresividad de Griseta se había convertido en seguridad. La vi dejar la cama y encaminarse hacia el baño. Durante unos minutos escuché el ruido de la ducha y luego ella reapareció, vestida.

—¿Te quedarás en Santiago? —preguntó.

—Sí.

—Vístete, Heredia. Luego, acompáñame hasta la esquina y ahí nos separamos. Tal vez mañana o en un mes más tenga ganas de llamarte. Tal vez el azar nos reúna en alguna calle cualquiera. Te amo, pero eso no es suficiente. Te lo dije la primera vez que fui a tu departamento: Quiero vivir lo que me corresponde.

—¿Y en qué te limito?

—A tu lado todo es más difícil.

—¿Por qué?

—No quiero vivir esperando tu regreso o que unos extraños vengan a buscarte. No quiero vivir con miedo, Heredia.

Encendí un cigarrillo y la observé mientras terminaba de vestirse.

—¿Te espero o te quedas? —preguntó, al tiempo que tomaba sus cuadernos y se acercaba a la puerta de la habitación.

—No hay nada...

—Tus citas no sirven —agregó ella, interrumpiéndome.

Abrió la puerta y durante unos segundos escuché sus pasos que se alejaban.

—No hay nada que me obligue a decir adiós —murmuré, repitiendo una frase leída en un libro del que no tenía recuerdo. Pensé en un solo de Charlie Parker. No tenía nada a mi alrededor, sólo el aroma de una muchacha a la que creía amar y había dejado partir. Apachurré el cigarrillo y cerré los ojos mientras los recuerdos entraban a la habitación.

11

Huí del hotel como un vampiro que teme la luz del amanecer y quedé solo, en medio de una calle que comenzaba su rutina de colegiales y gente apurada. Deseaba un café, dos o tres panecillos con mantequilla y una enorme ración de entusiasmo para emplear las próximas horas en viajar a San Bernardo. Y aunque sabía que «el trabajo es una virtud que arruina la vida», decidí obviar el desayuno y cumplir mi cometido con el ánimo gris de un empleado público en día lunes.

Abordé un colectivo a un costado de la Torre Entel y quedé sentado entre una enfermera que iba al Hospital El Pino y un vendedor de seguros que, según el mismo se encargó de contar, pensaba atender a varios comerciantes a los que se les había vencido sus pólizas contra robos e incendios. El conductor dirigió su vehículo por la Panamericana Sur y durante media hora creí estar a bordo de la Montaña Rusa, bamboleándome de izquierda a derecha.

Al descender en la plaza de San Bernardo me acerqué al vendedor y le pregunté si conocía a Domingo Hidalgo. El hombre, desconfiado, me observó de reojo y después de abandonar la idea de que yo pudiera entorpecer su negocio, indicó una de las esquinas de la plaza.

—*Supermercado Temuco*, treinta años a su servicio con calidad y buenos precios —dijo, repitiendo lo que seguramente era un eslogan radial—. Camine por la calle Prat hasta llegar a la línea del tren. De ahí, siga media cuadra en dirección al Hospital San José y se va a encontrar con el negocio. Y si se acuerda, dígale a Hidalgo que Gastón Fierro lo irá a ver la próxima semana.

Le di las gracias y me alejé dispuesto a seguir sus instrucciones. San Bernardo conservaba esa tranquilidad de árboles antiguos y casas de adobe que conociera años atrás, mientras acompañaba a un amigo que iba al Hospital *San José*, a retirar el cadáver de su madre que había fallecido la noche anterior. Mi amigo iba en silencio, apretando entre sus manos una imagen de Santa Teresa de Los Andes que pensaba colocar dentro del ataúd de la finada. Recordé que había tratado de entender su pena; pero yo, que había crecido en un orfanato, no sabía lo que era una madre y de mi padre guardaba el vago recuerdo de su última visita, el día en que cumplía mis cinco años de edad. Lo acompañé hasta la morgue y cuando una hora más tarde lo vi salir, sólo atiné a ofrecer un cigarrillo que él rechazó con lágrimas en los ojos. Desde entonces no había vuelto a San Bernardo.

El *Supermercado Temuco* era una barraca en cuyo interior las mercaderías se apilaban sin otro orden que el azar o la buena voluntad de los proveedores. Entre sus paredes se confundían los aromas de las frutas y los embutidos que colgaban del techo como murciélagos. Una muchacha estaba detrás de la caja registradora y cerca de ella, un hombre moreno y flacuchento que intentaba arrastrar un costal papero.

Saludé a la muchacha y ella me observó en silencio al tiempo que cerraba la cajonera de la máquina registradora.

—Busco al señor Hidalgo —dije.

—El patrón viajó hace dos días a Santiago —respondió de prisa.

—¡Qué extraño! Habíamos convenido una cita para hoy.

—Se habrá olvidado —agregó la muchacha—. El patrón tiene tantas preocupaciones.

—No anda nada en Santiago, señorita Luzmira —escuché decir al hombre—. Hoy lo vi, cuando fui a buscar las cartas al Correo.

—Usted andaría curado, Manolo —dijo la muchacha—. ¿Cómo no iba a pasar el patrón por su negocio?

—En una de esas el hombre no quiso saber nada con monos y se fue para la parcela —agregó el hombre.

—¿Qué parcela? —pregunté.

—La del patrón —contestó la dependienta.

—¿Cómo llego a la parcela?

—La tierra está como a tres kilómetros —agregó el hombre—. Si no anda en vehículo propio, tome un taxi y listo. Cualquier chofer sabe donde queda el campito.

—Gracias —dije y salí del boliche.

—Usted está viendo visiones, Manolo —alcancé a escuchar que le decía la muchacha al hombre—. Recuerde que el patrón le advirtió que debe moderar su consumo de vino.

La parcela de Hidalgo estaba en un valle rodeado de lomas pálidas y bosques de pinos. En un rincón del terreno se veía una casa de estilo colonial y junto a ella, una piscina circular rodeada de césped.

Cuando estaba bajando del taxi, un Toyota rojo salió de la parcela a gran velocidad. Lo conducía una mujer rubia y en el asiento trasero del vehículo alcancé a divisar una maleta. Observé el auto hasta que se convirtió en una nube de polvo y enseguida logré llegar hasta la casona, esquivando los saltos juguetones de un perro siberiano que salió a recibirme. La casona parecía sufrir un repentino abandono. Su puerta principal estaba entreabierta y desde el interior se oía el murmullo de una radio. Golpeé tres veces y al no tener respuesta entré a un salón donde un enorme caballo de madera miraba a través del ventanal de la habitación.

Dije el nombre de Hidalgo en voz alta y la única respuesta que recibí fueron los ladridos del perro que se había quedado junto a la puerta. Di unos pasos hasta el ventanal y entonces lo vi. Era un hombre grueso y calvo, que estaba apoyado sobre una reja de fierro. Parecía absorto en sus pensamientos y supuse que si a su alrededor todo estallaba por los aires, él seguiría igual, sin moverse.

58

Salí de la casa, caminé en dirección al extraño y cuando estuve a sus espaldas, vi que tras de la reja revoloteaba una docena de gallitos de la pasión. El hombre estaba abatido, como si una repentina tragedia hubiera quebrado sus días y la solución a sus problemas estuviera en algún punto de los cerros que rodeaban la propiedad.

—Señor Hidalgo —dije, dos veces.

El hombre giró su cuerpo. Unas ojeras profundas bordeaban sus ojos café. Llevaba la corbata mal anudada y una punta de su camisa blanca sobresalía más arriba del pantalón.

—¿Quién es usted? —preguntó con voz cansada.

—Traigo algo que le pertenece —agregué, mostrándole el comprobante de compra con la tarjeta de crédito registrada a su nombre.

—¿Qué significa? —preguntó, al tiempo que miraba la papeleta.

—La dejó olvidada en el *Hotel Central*.

La mención del hotel lo descompuso. Miró a un lado y otro, como buscando una vía de escape, y luego, resignado, observó su casa y con un gesto indicó que nos encamináramos hacia ella.

—Bien dicen que, de un modo u otro, la policía siempre se entera de las cosas.

—No soy policía, señor Hidalgo.

—¿No? Si viene a chantajearme pierde el tiempo. Leí en la prensa lo sucedido en el hotel y estaba por ir a declarar a la policía.

—Quiero saber lo que ocurrió —dije, y enseguida le conté los detalles de mi estadía en el hotel.

—¿Qué gana con saberlo? —preguntó.

—Simple curiosidad. Quiero conocer su verdad y lo que usted haga después me tiene sin cuidado.

Hidalgo entró a su casa, caminó hasta el living y de un armario de madera sacó una botella de whisky. Tomó dos vasos y sin decir nada, los rellenó hasta más arriba de la mitad.

—Hielo no tengo —dijo, al tiempo que me pasaba uno de los vasos.

Bebió un sorbo largo y se dejó caer sobre uno de los sillones.

—¿Quién era Gordon? —pregunté.

—Un hombre que se cruzó en mi vida hace treinta años y que hasta hace una semana creí desaparecido —dijo y noté que los recuerdos le dolían.

—Puede ser más explícito —dije.

—Hace treinta años yo vivía en Temuco. Era joven, estaba recién casado y había heredado la tienda de mi padre. A menudo viajaba a Santiago para comprar abarrotes o gestionar préstamos. Mi esposa se aburría y no le gustaban mis actividades ni vivir en Temuco. Gordon acababa de ser trasladado a esa ciudad. Empezaba su trabajo en la Contraloría General de la República y lo conocimos en una fiesta familiar. Era joven y apuesto. Las muchachas casaderas se ilusionaban con él. También Elba, mi esposa. Me enteré de ello a la vuelta de uno de mis viajes. Casualmente, como siempre ocurre en esos casos, encontré una carta de Gordon en el velador de Elba. El estaba cansado de la relación y había pedido su traslado a Iquique. Hablé con los dos. Gordon se excusó y dijo que se iría de Temuco. Ella siguió con el engaño. También dijo que se arrepentía y que para demostrarlo tendría el hijo que yo tanto le había pedido hasta entonces. Me alegré y le creí hasta el punto que vendí la tienda y me trasladé, primero a Santiago y luego a San Bernardo. Pero el niño que llegó no era mío. Su padre era Gordon. Lo supe hace seis meses.

Hidalgo hizo una pausa y vació la copa de whisky.

—No sé por qué le cuento todo esto —agregó.

Pensé que era un hombre cansado y débil. Su rabia se había desgastado en el transcurso de muchos años y de seguro, nada de lo que le rodeaba significaba mucho para él.

—El problema no es el muchacho, sino la mentira. A Julián, mi hijo, lo quiero. Si Elba hubiese dicho la verdad todo habría sido distinto. Pero mintió una y otra vez. Nunca tuvimos otro hijo. Ella decía tener problemas, pero también eso era falso. En su mente retorcida ideó que la mejor manera de mantenerse fiel a Gordon era no teniendo otro hijo.

—Su mujer se acaba de ir —dije.

—Le conté que Gordon estaba muerto. Enloqueció, tomó algunas de sus cosas y aseguró que no volvería a esta casa. Después de todo, tal vez sea lo mejor.

Me puse de pie, busqué la botella de licor y le serví otro whisky doble.

—Usted quería matar a Gordon.

—Hace seis meses, cuando supe la verdad, contraté a una agencia de detectives privados. Pensaba, y no me equivoqué, que Gordon seguiría trabajando en la Contraloría General de la República. Los investigadores trabajaron rápido. En una semana me dieron una rutina de sus actividades. Pensé mucho en cómo hacerlo. Y hace tres días, pretexté un viaje de negocios y me dediqué a seguirlo. Esa noche, Gordon estaba solo. Lo seguí a un restaurante y después al hotel.

—Golpeó a su puerta, le dijo un par de cosas y lo mató —interrumpí.

Quería arrinconar a Hidalgo para que sus siguientes palabras tuvieran la suficiente ira y verdad que necesitaba para comprobar que no mentía al declararse inocente.

—Esa era mi idea, pero no fue así. La puerta de su habitación estaba abierta y cuando me atreví a entrar, lo encontré muerto. No pensé más que en huir.

El rostro de Hidalgo había adquirido un tono púrpura y en sus manos, el vaso de whisky temblaba nerviosamente. No tenía motivo para no creerle. Bebí el contenido de mi copa y me acerqué por segunda vez al barcito. Pensaba repetir mi dosis y la de Hidalgo, pero sólo lo hice con la de él, y luego de entregársela caminé hacia la puerta. El siberiano seguía esperando una caricia. Le indiqué a su amo y el animal entró dando brincos.

—Beba esa copa y algunas más —le dije desde la puerta—. Cuando llegue al fondo tal vez vea más claro.

Hidalgo no dijo nada. Salí de la casona y esperé media hora hasta que un bus destartalado y ruidoso apareció en el horizonte. Durante ese tiempo nada ocurrió en la casa. Tal vez había esperado oír el estampido de un arma, un grito, cualquier cosa que interrumpiera la tranquilidad. Pero no pasó nada. Hidalgo no había tomado una decisión en treinta años y ya era tarde para que lo hiciera.

12

Llegué a mi oficina al final de la tarde. Deseaba escuchar a Mahler y pensar en Griseta. Pero nada de eso fue posible, porque Anselmo me esperaba acompañado de tres ancianas de aspecto humilde. Parecían tres añosas greas de la mitología griega.

—Doña Rosa, doña Berta y doña Cristina —dijo Anselmo, presentando a las mujeres que vestían chalecos de lana y faldas descoloridas—: Su primera clientela después del regreso.

—Sí —dije, escéptico de que las mujeres tuvieran los pesos que pensaba cobrar por mis servicios—: ¿Estás seguro que saben dónde se encuentran?

—Somos viejas pero no tontas —comenzó a decir la que se llamaba Berta y parecía ser la más decidida del grupo—. Anselmito, nos habló de usted y con las muchachas del club decidimos contratarlo.

—No parece que le vaya bien —acotó Rosa, arrugando el ceño.

—Pero está bien buen mozo —le respondió la tercera, Cristina.

—¡Cállense, viejas locas! —les ordenó Berta—. Me duelen los huesos de tanto esperar, así que tratemos el asunto de una buena vez.

—Las escucho —dije, al tiempo que apoyaba mis codos sobre el escritorio.

—Mire, joven —afirmó Berta—. Las muchachas del club tenemos problemas cada vez que vamos a empeñar algunas cosas donde la «Tía Rica».

—¿Qué problemas? —pregunté con la intención de abreviar el dramón que se avecinaba.

—No falta la socia a la que le roban. Hemos conversado del tema y al parecer siempre ha sido el mismo fulano. ¿Cómo es? Ni idea. Cada vieja está más cegatona que la otra, así que las descripciones del maleante son vagas. Unas dicen que es moreno y alto; otras que es chico y rubio.

—Mejor hablen con los carabineros —dije.

—Fuimos tres veces y no nos hacen caso —informó Rosa—. La última vez, un cabo escribió la denuncia en un cuaderno, y la verdad es que el cristiano apenas sabía deletrear su nombre.

—Si quiere fume su pipa, no más —dijo de pronto Cristina.

—¿Mi pipa?

—Los detectives fuman pipa, ¿no? —insistió.

—Tal vez, supongo, algunos...

—Sale para al lado con tus payasadas, vieja —la reprendió Berta—. Queremos que atrape al ladrón.

—Me gustaría hacerlo, pero...

—Nada de peros, joven. Anselmito dijo que usted era eficiente.

Miré al suplementero y éste, alegando inocencia, se encogió de hombros.

—Lo esperamos el próximo lunes. Y después nos dice cuánto es —concluyó Berta, al tiempo que se ponía de pie y ordenaba a sus amigas que hicieran lo mismo.

Rosa y Cristina se acercaron a la puerta y sonrieron antes de salir. Berta se detuvo un segundo y miró a Simenon que dormía a un costado del escritorio.

—Haga correr a ese gato. Está muy gordo —dijo y desapareció.

—¿Desde cuándo eres mi promotor? —pregunté al quiosquero.

—Vi tan afligidas a las abuelas que de inmediato pensé en usted.

—Carteristas de viejas. ¡Lo único que faltaba!

—Qué le cuesta, don. Se da una vuelta, hace algunas preguntas y listo.

Viejas, un muerto, Hidalgo y un asesino desconocido. Lindo cuadro, pensé después que Anselmo se fue dejándome como consuelo un ejemplar de *La Tercera*. Hojeé el periódico pero no encontré ninguna noticia que llamara mi atención. Las entrevistas eran todas a empresarios exitosos y en las informaciones deportivas no mencionaban los últimos triunfos del Magallanes. Dejé el diario y mientras pensaba en ganar algo de dinero, tomé el teléfono y llamé a Marcos Cambell, mi amigo periodista.

—Cambell al habla —escuché que decían al otro lado de la línea.

—Heredia —dije—: Te llamo por la oferta que me hiciste.

—Ni me acuerdo de qué se trataba.

—Dijiste que podía escribir algunos artículos para tu revista.

—¿Qué tienes en mente?

—La extraña muerte de un funcionario —dije, y luego reseñé a grandes rasgos los sucesos del hotel.

—Puede servir para rellenar una o dos páginas. ¿Cuándo lo traes?

—En dos o tres días. Tengo que ver cómo termina cada asunto.

—Cuando quieras —escuché decir a Cambell con desinterés. Enseguida farfulló una despedida y me dejó comunicado con el infinito.

—No pensarás seguir con ese lío —creí oír decir a Simenon.

—Tengo que ver cómo termina —repetí—: La curiosidad me roe el estómago.

SEGUNDA PARTE

1

Era la hora que los poetas suelen asociar a un poema de García Lorca cuando Bernales entró en el *Café Santos*. Las cinco de la tarde. Una hora que a mí me hace recordar las meriendas de leche tibia y pan con membrillo que servían en el orfanato, mientras los internos permanecíamos en silencio, con nuestras ñatas pegadas al borde de la mesa y el Padre Jacinto leía episodios de la vida de Domingo Savio o los capítulos más lacrimógenos de *Corazón*, la novela de Edmundo De Amicis. Desde entonces podía repetir cada una de esas historias y asociaba las tardes grises al empalagoso sabor del dulce de membrillo.

Bernales dio una mirada a la clientela y se dirigió a mi encuentro. Su aspecto era el de un liceano desastrado: llevaba suelto el cuello de la camisa y una corbata roja con listados amarillos caía en desorden sobre su pecho.

—Tengo poco tiempo, Heredia. Pasé la noche en vela y necesito dormir.

—¿Mucho trabajo?

—Lo habitual —dijo y luego de llamar a un mozo y pedir café con tres panes dulces, agregó—: Le pedí que olvidara la muerte de Gordon, y no hizo caso.

—El azar me obligó a retomar el asunto —respondí, sin querer dar motivos para despertar el enojo del policía, en quien había decidido confiar a pesar de algunos rumores acerca de su desempeño durante los últimos meses.

—Supongamos que sea así. Le escucho, Heredia. Rápido y al grano. No voy a ser como mi padrino que se dejaba embaucar con su charla y terminaba metido en líos que le acarreaban problemas con sus superiores. He conversado con colegas viejos, y ellos dicen que las veces que Solís hizo la vista gorda con usted fueron más allá de lo razonable.

—Dagoberto y yo teníamos una forma común de ver las cosas. Y él no era un niño chico al que se podía embaucar con caramelos. Sabía lo que hacía y era un buen policía.

—Cometió el error de darse algunas licencias. Olvidó que nuestro medio obliga a ciertas conductas y a no hacer caso a personas ajenas al trabajo. Yo no estoy dispuesto a cometer el mismo error.

—Sin embargo, aceptaste conversar conmigo.

—Los informantes son parte del sistema —dijo, despectivo.

—Si así entiendes nuestra relación, debes saber que los informantes suelen tener un costo —respondí, alentando su juego de muchacho recio.

—Dinero, protección. ¿Qué es lo que pide, Heredia?

—Información.

—¿A cambio de qué?

—Descubrí al extraño que abandonó el hotel a medianoche. Puedes conocer su nombre a cambio de información sobre Gordon.

Bernales probó su café y me miró a los ojos con la seguridad del jugador que tiene las mejores cartas del naipe en sus manos.

—Podría detenerlo por encubridor.

—Sé guardar secretos y aguantar golpes. Pocas cosas me asustan: Una escalera en el camino o algunas páginas de Stephen King. Pero no es mi idea discutir contigo, Bernales. Acepto que no quieras ser mi amigo, pero eso no es obstáculo para que intercambiemos información.

—Gordon era funcionario de carrera y con una meritoria hoja de servicios. No tenía una relación muy directa con sus colegas, pero ellos tenían un buen concepto de él.

—¿Cómo lo mataron?

—Fue un trabajo profesional —dijo Bernales, y pensé que esa información era favorable para ratificar la inocencia de Hidalgo—. Usaron pistola con silenciador. Dos tiros. El primero en el vientre, y el segundo en la boca. Ninguna huella, ningún ruido. Trabajamos la hipótesis de un asesinato por encargo. No es frecuente pero últimamente han ocurrido tres o cuatro situaciones de esa índole. La última fue urdida por una esposa y su amante. Pagaron una suma a cierto matonzuelo de barrio, y éste despachó al marido en una supuesta pelea de bar. Habría sido un éxito, a no ser que el matón se dio a la farra y en medio de la curadera contó su hazaña. El asunto llegó a oídos de uno de mis colegas, cogimos al asesino y en menos de tres horas cantó la versión completa de su historia. Después, fue fácil atrincar a la esposa y obligarla a confesar.

—¿Quién querría matar a Gordon? ¿Algún socio desconocido?

—¿Quién sabe? Mis hombres reconstituyeron las actividades de Gordon en las últimas tres semanas. Trabajo, reuniones, su casa. Hasta ahora la investigación no ha aportado muchas luces. Aparte de su empleo en la Contraloría, hacía clases en la Universidad Diego Portales. Era soltero y hasta donde sabemos no tenía una amante ni nada que se le pareciera. Cuanto más sé de Gordon, menos entiendo su muerte. Es uno de esos casos que llamo circulares, en los que todas las pistas vuelven a la incógnita inicial.

—Algo no encaja, Bernales. ¿Qué hacía Gordon en el hotel? ¿Por qué un profesional tranquilo, de buen pasar, se va a meter a un pulguerío de tres mil pesos la noche? ¿Era colizón? ¿Se pichicateaba a escondidas?

—Su autopsia no reveló consumo de drogas. Sólo un poco de alcohol y restos de un diurético que recetan a los hipertensos.

—Entre el aburrimiento y el vodka, no hay dónde perderse —dije.

—¿Está pensando en sí mismo? —preguntó Bernales, al tiempo que buscaba mis ojos, desafiante.

—No trates de darme lecciones de lo que no sabes, Bernales. Hace tiempo que dejé de preocuparme de las opiniones de la gente —respondí, observando a uno de los mozos del café, viejo y desgarbado, que se movilizaba con dificultad entre las mesas.

—Usted no es como la gente normal, Heredia.

—¿Cuál es la diferencia? ¿Él, tú, yo? Para la mayoría de la gente la vida se repite, día a día, siempre igual, como la lluvia de un reloj de arena. Lo demás es llenar el vacío que hay entre el primer y el último llanto. El único enigma está en saber cuándo se quebrará el cristal.

—¡Palabras! Le gustan demasiado las palabras. Pero no trate de ganar tiempo conmigo. Ahora es su turno de hablar de cosas concretas, Heredia. ¿Quién es el extraño del hotel?

Pensé en la soledad de Hidalgo. De pie en las afueras de su casa, observando un horizonte de cerros mudos. No podía hacer mucho por él, salvo contar la verdad y tratar que Bernales aceptara su inocencia. Hidalgo tendría que soportar a los detectives y al menos durante una semana su mente estaría preocupada en dar respuesta a los interrogatorios de los tiras.

—Se apellida Hidalgo —comencé a decir.

2

Me despedí de Bernales frente a la Plaza de Armas. Mientras caminaba hacia la oficina advertí los cambios del barrio en los últimos meses. Algunas viejas tiendas de la calle Puente habían desaparecido y en su lugar se alzaba un mall donde los santiaguinos de medio pelo iban a endeudarse con fervor de feligreses. A mi alrededor la gente pasaba de prisa y por unos minutos, entre el bullicio de los autos, añoré el silencio de la playa, y el enigmático ir y venir del oleaje.

En la oficina me esperaba Simenon y cuando lo sentí enroscarse entre mis piernas pensé en un tango que decía: «Sólo cuento con la compañía de un gato que al cordón de mi zapato lo destroza con placer».

—Desde que te conozco sólo usas mocasines —dijo Simenon—. Mocasines y tus malditas citas.

—¿A quién le importan esos detalles? «A mis soledades voy, de mis soledades vengo».

—Recordar a Lope de Vega no es un buen síntoma. ¿Tan mal están las cosas?

—Los días pasan y no dejan nada a qué asirse. No es fácil aproximarse a los cincuenta años y mirar hacia atrás, como al vacío.

—¿Qué te puso así?

—La ciudad, el barrio, un hombre que quiso modificar su pasado. ¿No sé? La lista podría ser más larga. Y luego, ese muerto y las ganas de saber qué hay detrás de él. Pero nadie paga por ello.

73

—No sería la primera vez que gastas las suelas de tus zapatos por nada.

—Además, está ese artículo que ofrecí escribir a Cambell.

—¿Te las vas a dar de literato? Como esos cretinos que viven mirándose el ombligo, protestando contra los críticos y visitando las librerías para ver si están bien ubicados sus novelones.

—Es una manera de llenar la caja —dije y me aparté de Simenon en busca de la vieja Smith Corona que una mujer llamada Fernanda había dejado olvidada en el departamento. La encontré dentro de un ropero, tapada por mi colección de revistas Estadio y media docena de ejemplares de la colección La *Linterna* de Zig-Zag, entre los que reconocí la novela *El crimen del Parque Forestal* de L. A. Isla, cuya portada había sido ilustrada por Pepo.

—¿Se la robaste a Gutenberg? —preguntó Simenon mientras me veía desempolvar la máquina de escribir—. ¿No has oído hablar de las computadoras y el Internet?

—Si Balzac pudo con una pluma, no debería irme mal con este aparato. Dicen que el único problema es encontrar la primera frase. Lo demás...

—La primera, la segunda y la última. ¡Carajo, Heredia! No escribes nada desde tu última carta a Santa Claus. Y de eso, por si no te has dado cuenta, han pasado cuarenta años, por lo menos.

3

La oficina de Cambell quedaba al comienzo de la calle Diez de Julio, en el segundo piso de una casona de ventanas altas, cuya planta inferior era ocupada por una distribuidora de repuestos para automóviles. Bajé del taxi que había abordado a un costado de la Iglesia Catedral y quedé frente al Hotel Valdivia. Desde ahí caminé hacia la calle Diez de Julio, sorteando a los vendedores de limpiaparabrisas y repuestos de autos que trataban de llamar la atención de los conductores.

Subí por una escalera quejumbrosa y llegué hasta un salón amplio en el que había tres mesas de billar, un wurlitzer y un escritorio de madera, grande y nuevo, sobre el cual se veían dos computadoras. Reconocí a Cambell oculto tras uno de los monitores y el periodista hizo una seña para que me acercara. Estaba igual que desde nuestro último encuentro en el *City*, donde solíamos reunirnos los primeros lunes de mes, para conservar una amistad que a mí me servía para pasar algunas horas de buena charla, y a él, para sonsacarme historias del barrio que después desfiguraba y convertía en crónicas de su revista con el seudónimo de *El Inspector Rojo*. Nos conocimos a fines de los años setenta, una noche en la que el toque de queda de la época nos obligó a buscar refugio en la fuente de soda *Carrera* y compartir cervezas y anécdotas que, en su caso, sabía contar con inagotable humor.

Cambell era bajo, delgado y su cabellera lucía larga, descuidada. Una barba semicanosa ocultaba su rostro moreno y hacían destacar más la intensidad de sus ojos negros y pequeños. Llevaba puesta una camisa negra y una corbata roja, a la usanza de los gánsters de otra época, anterior al teléfono celular y a los gurúes de la libre empresa.

—¿Café o cerveza? —preguntó antes que me sentara frente a su escritorio.

—Café. La cerveza me deprime y no sé si es por sus componentes o porque me recuerda los quince años —dije.

Cambell sonrió y tomó una cafetera eléctrica que soltaba sus vapores entre las dos computadoras.

—El pituto no perdona —dijo indicando las carpetas que se amontonaban en desorden sobre el escritorio—: Aparte de la revista, redacto folletos para la *Cadena Pollo–Ferni* de Lo Miranda, la *Inmobiliaria Bergson* y cinco o seis cosas más que siempre están atrasadas. No me quejo. Sin ese trabajo sería peor. Las culpas se pagan y dos matrimonios y cinco hijos merecen un castigo draconiano. Mi padre lo decía: el hombre y el burro son los únicos animales que tropiezan dos veces con la misma piedra. Los colegios, el médico, el vestuario. Desde hace diez años vivo para pagar cuentas. Y después dicen que las mujeres están desprotegidas. Debo entregar todos los meses una pensión a mis esposas, como si yo hubiera obtenido algún beneficio casándome con ellas.

—Conozco a un psicólogo que cobra barato —dije, sin ganas de profundizar en la tragicomedia de Cambell.

—Si uno no se queja con los amigos, ¿con quién?

Saqué un cigarrillo y mientras lo encendía observé la habitación.

—¿No habías venido antes? Las mesas de billar pertenecían al anterior arrendatario —dijo Cambell—. Se suponía que las iba a retirar hace seis meses, pero al parecer el tipo se escapó a Buenos Aires huyendo de unos líos financieros. No están mal. A veces juego unas partidas y sirven para que se vea menos vacío el boliche.

Mientras Cambell servía el café, me puse de pie y examiné el contenido del wurlitzer. Tenía canciones de Cecilia, Buddy Richard, Carlos González, Luz Eliana y Danny Chilean. Presioné una tecla de la máquina y cuando Cecilia comenzó a cantar El *Tango de las Rosas* regresé junto al escritorio.

Cambell dejó a mi alcance un tazón de loza y probé el café.

—No me quejo. Con altibajos, la revista ha logrado mantenerse y pronto cumplirá cuatro años de edición —dijo—. Aunque no siempre es fácil encontrar material novedoso. La gente está ávida de noticias fuertes y sensacionalistas, de asuntos que le hagan más placenteras sus adormiladas vidas. Es de lo que hablo en mi último editorial.

—Traje dos artículos que pueden interesarte —dije y puse cinco carillas mecanografiadas al alcance de Cambell.

—Desde hace bastante tiempo estoy diciéndote que escribas. Tienes historias de sobra y eso es lo importante. El acento y los adjetivos se arreglan en el camino.

—Quiero ganar unos pesos mientras me llega trabajo. Cosa que no será fácil. El negocio de las investigaciones privadas se llenó de oficinas elegantonas que ofrecen maravillas electrónicas a sus clientes.

—Y tú prefieres trabajar a la antigua, con alambritos y un alicate —comentó Cambell. Enseguida probó su café y prestó atención a las carillas—. Veamos qué escribiste.

Lo vi leer y mover la cabeza a medida que iba conociendo el texto.

—No sirven, así como están no sirven —sentenció, finalmente—: Los temas son interesantes, pero el tratamiento es débil. El asunto de las viejas puede dar para una crónica sensiblera, y el otro promete mucho. Deberías averiguar dos o tres cosas más. Otros antecedentes del muerto, detalles de su vida familiar, de su trabajo.

—Eso me llevará algunos días y además, no son muchas las pistas que existen. Era funcionario de la Contraloría, y en ese lugar dudo que consiga averiguar nada, salvo que conozca a una persona que esté dispuesta a hablar. Si voy a golpear la ventanilla como cualquier hijo de vecino, puede pasar un año antes que alguien me escuche.

—Te puedo dar una mano, Heredia. Conozco a un abogado que trabaja ahí. Se llama Alberto Mujica. El debe saber algo de Gordon. Cositas que hagan más sabroso el pastel. Dar vida interior al personaje para que tenga mayor proximidad con los lectores. Te daré una de mis tarjetas de visita.

—Así, como lo dices, parece fácil.

—Toda persona es una historia por contar —sentenció Cambell, y luego, indicando la cafetera que seguía lanzando sus vapores, preguntó—: ¿Más café, Heredia?

—Ahora te acepto la cerveza. Estoy tan deprimido que el efecto de la cerveza no se notará.

—Si es por los artículos...

—El periodismo sólo me deprime cuando leo los diarios. Es el regreso a la ciudad lo que me tiene mal. Y ni siquiera eso. Se trata de una muchacha que ya no quiere saber nada de mí..., la necesidad de tener un trabajo...

—Te estás poniendo viejo y mañoso, Heredia. Lo que necesitas es ocupar tu tiempo en algo. Invierte media mañana y rellena tus artículos.

—Lo haré —concedí de mala gana.

—También te hace falta copete y una mina.

—«En mi vida tuve muchas minas, pero nunca una mujer».

—De verdad que estás mal, Heredia. Si no estuviera con tanta pega te llevaba a una farra antidepresiva.

—Mi vida se reduce a frases y recuerdos.

4

Daban las nueve de la mañana cuando abordé uno de los ascensores del sepulcral edificio de la Contraloría General de la República. Subí junto con un tipo somnoliento y una mujer alta que parecía preocupada por el esmalte de sus uñas. Me observé en el espejo del ascensor. Me había afeitado y mis cabellos lucían largos. Llevaba puesta una camisa azul, corbata roja y una chaqueta de diablo fuerte, negra y con raspaduras en los codos. No era el atuendo del Príncipe de Gales, pero era lo mejor que había conseguido en mi visita a la tienda de ropa usada del barrio.

Descendí en el sexto piso y quedé frente a un pasillo amplio y desierto. Pensé que en ese lugar se podía jugar tenis o correr en patineta sin importunar a nadie. Los muros parecían cerrarse a mi paso. Busqué el número de la oficina de Alberto Mujica y durante unos minutos vagué por los pasillos, perdido y con ganas de retornar a la calle.

Finalmente di con el despacho del abogado. Era una oficina con un escritorio, media docena de sillas y unos estantes repletos de boletines jurídicos, empastes de diarios oficiales y textos legales. Mujica estaba sentado junto al escritorio y a sus espaldas tenía una foto presidencial, y otra en la que un Mujica más joven aparecía recibiendo un galvano. Leía *La Tercera* y en el momento en que entré a su oficina apachurraba un cigarrillo que, según las colillas que naufragaban en el cenicero de bronce sobre el escritorio, debía ser el cuarto de esa mañana. Era un hombre rubio, gordo y algo calvo. Usaba anteojos de marcos metálicos y vestía terno gris, camisa blanca y corbata azul con prendedor. Su rostro estaba poblado de manchas rosadas y sus manos, quietas encima del periódico, cubiertas de vellos blancos y largos.

—No se atiende público —dijo sin levantar la vista del diario. Su voz sonó respetuosa, pero autoritaria. Deduje que no estaba acostumbrado a recibir interrupciones en su oficina, y sin importarme su reacción, di un par de pasos hasta quedar frente al escritorio.

—Vengo a verlo por recomendación de Marcos Cambell.

El hombre dejó la lectura, ajustó sus anteojos y antes de volver a decir algo, me examinó detalladamente.

—Marcos Cambell —insistí.

—Ya le oí —dijo el abogado y me indicó la silla que estaba frente al escritorio—. ¿Cuál es su nombre?

—Heredia.

—¿Tiene algo que ver con los Heredia de las *Tiendas Ambos Mundos*?

—Nada.

—¿Y con don Ladislao Heredia, el notario?

—Heredia a secas, sin familiares ni garantías comerciales.

El abogado hizo un gesto de desilusión, tomó uno de los Kent que tenía a su alcance y por dos o tres segundos, su atención se concentró en el punto rojo del cigarrillo.

—¿De dónde conoce a Marcos Cambell? —pregunté como una manera de llegar al tema que me interesaba.

—Yo era amigo de Luciano, el padre de Marcos. El enfermó de cáncer y antes de morir me pidió que ayudara a su hijo. Hice algunos intentos para encontrarle un buen trabajo, pero Marcos, por decirlo de algún modo, no es amigo de usar cuello y corbata. Es un muchacho inquieto y algo radical en sus ideas. No obstante eso, cuando puedo trato de cumplir con la promesa que hice a su padre —dijo el abogado después de concluir la ceremonia del cigarrillo. Luego, agitó la bocanada de humo que rodeaba su cara y mirándome a los ojos, preguntó-: Dígame, Heredia, ¿qué necesita?

—Trabajo en una crónica sobre la muerte del abogado Gordon. ¿Sabe a qué me refiero?

—¡El pobre de Gordon! No se habla de otra cosa en estas oficinas. Pero, no veo qué interés pueda haber en su muerte. Parece que a Marcos le está fallando el olfato.

—Murió en un hotel de mala muerte al que ingresó pasada la medianoche.

—La verdad es que eso no me extraña —dijo Mujica, reclinándose en su butaca y evidentemente más interesado en la conversación—: Gordon tenía ciertos arranques bohemios. No bebía, pero iba a sitios nocturnos de dudosa calidad. Le gustaban las mujeres del ambiente. Recuerdo que en una época se habló mucho de su romance con una bailarina del *Tap Room*. Pero no eran sólo las mujeres. Alguna vez me mostró un texto que escribía en sus ratos libres. Una especie de historia de los lugares nocturnos de Santiago. Fue hace diez años. El hecho que yo sea soltero me ha dado cierta fama que prefiero no comentar. Gordon se interesó en conversar conmigo. Le di algunos nombres de sitios que ya no existen. *Los Buenos Aires*, un salón de baile que estaba en San Diego con Pedro Lagos; el *Salón Olimpia*, el *Tabaris* de Alameda y Estado, el *Zepelín*. Ecos de una bohemia que ya no existe y que alcancé a conocer cuando llegué de Talca, en la década del cincuenta.

—O sea que usted conocía bien a Gordon. Eran amigos.

—Conversábamos lo justo y necesario. A veces, como la última vez que nos vimos, tomábamos un café en el *Haití*.

—¿De qué hablaron en esa oportunidad?

—Comentamos algunas novedades del trabajo y él me pidió datos acerca de dónde comprar ejemplares de la antigua revista *Ecran*.

—La muerte de un bohemio solitario —pensé en voz alta.

—Suena a uno de esos titulares amarillos que emplea Cambell en su revista. Claro que esta vez escogió mal el tema.

—¿Cómo era Gordon en el trabajo?

—Estaba conceptuado como un buen profesional. Le gustaba meterse a fondo en los temas. Recopilaba mucha información, estudiaba las leyes, redactaba bien sus informes. Sé que los jóvenes se reían de él por eso. Lo llamaban «Don Profundo», porque siempre decía que los estudios había que hacerlos a fondo. Era una especie de muletilla que sacaba a relucir una y otra vez. Acerca de cualquier trabajo que le asignaban, lo primero que decía era: esto requiere un análisis profundo.

—¿Qué tipo de fiscalización realizaba?

—Gestión municipal, propuestas de empresas públicas, gastos ministeriales, malversación de fondos. Lo habitual en este lugar.

—Un trabajo susceptible de ser comprado...

—¿Se refiere a coimas?

—Suavizar informes, disminuir culpas.

—Gordon no era un tipo que aceptara chantajes.

—Su afición a la noche le significaría algunos gastos extras.

—Seguramente —dijo Mujica, calculando el peso que podrían tener sus palabras—. Pero, si usted y Cambell quieren descubrir algo oscuro en la vida de Gordon, están equivocados. Era un hombre correcto. Y si yo supiera cualquier cosa que perjudicara su imagen, tampoco la comentaría.

Mujica tomó sus anteojos y los limpió con un pañuelo que sacó de su chaqueta. Pensé que mi tiempo se terminaba y era hora de comenzar a recoger la red que, malamente, había tendido alrededor del abogado.

—¿Qué trabajos realizaba Gordon antes de morir?

Mujica dudó un instante, y luego sacó unas hojas mecanografiadas desde uno de los cajones de su escritorio.

—Es el reporte mensual de los trabajos que realizan cada uno de los fiscalizadores —dijo, y se dedicó a leer el documento.

Encendí un cigarrillo y observé con mayor atención la oficina. Una luz amarillenta entraba a través de la ventana y parecía transformar el aire en algo espeso. Me imaginé entrando todos los días a esa oficina y un escalofrío me recorrió la espalda.

—Aquí está —dijo Mujica—: Tenía tres casos en carpeta. Municipalidad de Ñuñoa, Servicio de Bienestar de la Tesorería y Licitación del Gasoducto Internacional. Según las fechas asignadas, debería haber evacuado los respectivos informes.

—Usted puede tener acceso a ellos.

—No. Tal vez su secretaria o el jefe inmediatamente superior. Pregunte en el piso de más abajo —se apresuró en responder Mujica, ya sin ganas de seguir conversando.

Me puse de pie y me aproximé al escritorio de Mujica.

—Le agradezco su tiempo —dije y extendí una mano que el abogado no se molestó en estrechar.

—Dígale a Cambell que se equivocó de personaje. También dígale que no abuse. Mi tiempo y paciencia tienen límite.

Caminé hacia la salida y junto a la puerta divisé un papelero en el que alguien había arrojado una veintena de boletos de apuestas hípicas. Tomé un par al azar y miré hacia donde estaba Mujica. Este evitó mi inspección y aparentó que volvía a leer el diario.

—¿Sabe qué sitios nocturnos frecuentaba Gordon? —pregunté.

—Últimamente solía ir al *Lucifer*.

Leí las cifras escritas en los boletos del Club Hípico y comprobé que se trataba de apuestas altas. Sentí en mi espalda la mirada de Mujica y devolví los boletos al canasto.

—Cada persona es una historia por contar —dije y abrí la puerta de la oficina que resguardaría el tedio de Mujica hasta el día en que se decidiera a jubilar.

5

El pasillo seguía desierto y a lo lejos se oía el ruido de algunas máquinas de escribir. Un tecleo sostenido que subía y bajaba de intensidad al arbitrio de alguna batuta anónima que guiaba los movimientos de las mecanógrafas que producían las toneladas diarias de copias y recopias que justificaban sus sueldos.

La información de Mujica había aportado más confusión a mi ignorancia y por algún motivo que no lograba precisar, me hizo pensar en un juego de máscaras. Imaginé a Gordon detrás de un escritorio similar al que ocupaba Mujica, día tras día, estudiando sus textos legales hasta encontrar una fisura en los antecedentes de las empresas o servicios públicos que investigaba. Serio, reconcentrado, iría por los pasillos sin apenas dejar una huella o el eco desdibujado de sus saludos a los colegas que se cruzaban en su camino. Redactaría sus informes ensimismado, cuidando el sitio exacto de las comas, la precisión de las citas legales, la ilación armónica de las frases. Y después, lejos de su oficina y papeles, entraría a un cabaré, recuperando una sonrisa desgastada por sus horas de oficina; aceptando la compañía de una mujer que escucharía por sus quejas acerca del trabajo o el costo de la vida. Pero, ¿había sido realmente así? ¿Gordon jugaba al cambio de máscaras o había algo más que lo impulsó a registrarse en el *Hotel Central*? Si descartaba la posibilidad de que deseara comprar drogas o que buscaba un refugio para recibir a su amante, sólo quedaba la alternativa del miedo. Miedo a algo o a alguien que lo había obligado a salir de su rutina y buscar amparo en un barrio que él sabía peligroso, pero que por lo mismo, podría engañar a otra persona. Sin embargo, ¿quién podría querer hacerle daño, o por qué? Dudas. Nada más que dudas o el breve chispazo de una historia que me contaba a mí mismo, mientras caminaba por un pasillo sombrío buscando explicaciones para la muerte de un extraño.

Decidí conocer la oficina de Gordon y bajé por una escalera de baldosas amarillas hasta llegar a otro pasillo con la misma calma y el mismo silencio del que acababa de dejar. Me detuve un instante y enseguida caminé hasta la puerta de una oficina tras la cual se oía el repiquetear de una máquina de escribir. Golpeé y entré a una oficina alfombrada en cuyo interior había tres escritorios e igual número de secretarias sentadas tras ellos. Las mujeres me observaron al mismo tiempo y sentí la misma incomodidad del que entra por descuido a un baño de señoritas.

—¿En qué podemos atenderlo? —oí preguntar a la secretaria que estaba más cerca. Era una mujer gruesa y de cabellos teñidos. Pero su voz, suave, casi seductora, no tenía relación con el volumen de su cuerpo ni la formalidad de la situación. Pensé en aquellas voces de las protagonistas de los radioteatros que había escuchado cuando niño, a solas o en la clandestina compañía de los otros compañeros del orfanato. Me enamoraba de esas voces que suponía de mujeres bellas y frágiles, dispuestas a desfallecer por un beso o la mirada del galán de turno.

—Busco a la secretaria del abogado Gordon —dije con un hilo de voz.

—Julita Bustos —dijo la mujer—. Trabaja en la oficina de al lado, pero hoy no la va a encontrar. Pidió un día de permiso administrativo y regresa mañana. ¿Es por algo personal o de oficina?

La voz de la mujer acariciaba. Imaginé esa misma voz a través de un teléfono erótico describiendo caricias hasta provocar una erección incontrolable.

—Personal —dije.

—Venga mañana a las nueve.

—A las nueve —repetí, sonriendo como un interno del frenopático.

Después miré a la mujer por última vez y salí de la oficina con una sensación de abandono que, antes de abordar el ascensor, despertó en mí la necesidad de beber una cerveza tan fría y eterna como la nostalgia. Salí del edificio, caminé por un costado del Palacio de La Moneda y seguí por la calle Nueva York hasta llegar a la entrada del bar *La Unión Chica*. En su interior, busqué apoyo en la barra y por un minuto traté de reconocer sin éxito a algunos de los clientes.

—¿Qué se va a servir? —escuché que me preguntaba un mozo joven, moreno y de rasgos mapuches.

—Una cerveza. Helada, muy helada —respondí, y cuando el muchacho me sirvió lo pedido, le pregunté por Juanito, el barman flaco y canoso que atendía en otras épocas.

—Jubiló hace tres años —dijo el muchacho y movió sus hombros como dudando de sus propias palabras.

—Buen tipo. Conocía los nombres y las necesidades etílicas de cada uno de sus clientes.

—Soy nuevo en este bar y sólo he oído hablar de él —contestó el mozo, confundido por la charla.

—Decían que hacía una muesca en la barra cada vez que moría uno de sus clientes.

El muchacho palideció y dio una rápida mirada al borde del extenso mesón que ocupaba uno de los costados del bar.

—Tampoco están los poetas a los que solía ver en otra época —dije, observando una vez más la media docena de mesas que se ubicaban frente a la barra—: Iván y Jorge Teillier, Roberto Araya Gallegos, el «Chico Molina», Rolando Cárdenas, Germán Arestizábal, el «Mono» Olivárez, Juan Cameron, Ramón Carmona y Guzmán Paredes, un filósofo que era capaz de recordar las formaciones de la Unión Española de los últimos treinta años. A veces también aparecía Coloane y alguna gente más joven. Un tal Díaz, Alvaro Ruiz y un poeta gordito de nombre griego, Arquímedes o Agamenón. Gente tranquila que trataba de sobrevivir en una ciudad triste, mientras afuera los buitres afilaban sus picos. Hablaban de poesía, fútbol y política, y a veces dejaban que extraños como yo se sentaran a sus mesas. Pero, claro, veo que ahora han puesto espejos en las paredes y los poetas, al igual que los escritores de novelas policiacas, son como los vampiros. Huyen de los espejos y sólo les interesan los cuellos finos y blancos de las vírgenes.

El mozo bostezó y vio con satisfacción que un nuevo cliente se apoyaba en la barra, librándolo de mi cháchara. Probé la cerveza y el sorbo helado adormeció mis recuerdos. Pensé por última vez en la voz de la secretaria y me dije que al día siguiente volvería a su oficina, aunque sólo fuera para escucharla darme los buenos días.

6

Nada me gusta más que caminar por la ciudad sin un lugar predeterminado al que llegar. Me gusta mirar a la gente y detenerme frente a los escaparates de las tiendas o librerías. Cuando me canso, busco un bar pequeño donde beber vino, mientras el cenicero se llena de colillas y a mi alrededor, grupos de obreros o jubilados leen sus diarios y beben una malta.

Un sol primaveral iluminaba las veredas y las engañosas promesas de las vitrinas. De los cafés salía el murmullo de los clientes y en el Paseo Ahumada, los vendedores de Kino y Loto voceaban sus mercaderías con particular entusiasmo.

—Lo fui a ver como a las nueve y no estaba —dijo Anselmo cuando me detuve junto a su quiosco. El suplementero vestía una jardinera de mezclilla, un polerón azul y un sombrero panamá que lo cubría hasta más abajo de las orejas.

—Salí a hacer algunos trámites —contesté, sin deseos de dar mucho gas a la curiosidad de Anselmo.

—Lo deben estar esperando.

—¿Quiénes? ¿Dónde?

—Las viejitas. Se acuerda que quedó en ir a la casa de empeños.

—¿Me comprometí a eso?

—Lo hice yo en su nombre, don Heredia.

—¿Y desde cuándo dispones de mi tiempo?

—No se enoje, don. Estaba seguro que usted iría y por eso lo comprometí —agregó Anselmo, mientras me veía sacar del quiosco una cajetilla de Derby.

—Además, hice una compra en su nombre. Ya que vendió el Lada cuando se fue con su palomita a la playa, decidí que era hora de que volviera a tener un vehículo. Un amigo que anda falto al billete me vendió un Chevy Nova del año 1967.

—Pretendes que instale un museo.

—Está como nuevo. Grande, fierros duros y poco uso.

—Mover ese auto debe salir más caro que alimentar un burro con bombones.

—No sea mantequita, don. ¿Qué le hace el agua al pescado? Lo acompaño a retirar el auto y después a lo de las viejitas.

No seguí discutiendo con Anselmo. Simplemente, me dejé llevar hasta un galpón ubicado en la calle Miguel León Prado, de donde salí conduciendo un Chevy Nova verde, algo envejecido, pero que a la hora de acelerar respondió con entusiasmo.

—¿Y, cómo vamos, don? —preguntó Anselmo, con una sonrisa de oreja a oreja.

—Hasta aquí, bien.

—Aguántate Catalina que vamos a galopar —gritó Anselmo, con alegría de colegial en viaje de vacaciones.

Dejé el Chevy al cuidado de un vejete de aspecto miserable y caminamos hacia el lugar del que habían hablado las ancianas. La vereda estaba ocupada por vendedores que ofrecían atados de yerbas, calzones, calcetas de lana y vajillas de plástico, entre otras baratijas. Junto a la entrada del recinto, una enfermera medía la presión arterial a un anciano que se veía disminuido dentro de un vestón tan arrugado como su rostro. En el local, unos cincuenta viejos seguían el ritmo sinuoso y lento de cuatro filas. Parecían sacados de una película del neorrealismo italiano; resignados y silenciosos como ovejas que sienten caer la lluvia sobre sus cuerpos y no saben dónde buscar refugio. Estaba por retroceder y salir a la búsqueda del auto, cuando oí que la señora Rosa nombraba a Anselmo.

—Anselmito, hijo, por fin. Ya pensaba que usted y su amigo nos iban a fallar —dijo, aferrándose al brazo izquierdo del suplementero.

—Las ocurrencias suyas, doña Rosa. Andábamos reconociendo el sector para estar bien seguros del terreno que pisamos.

La mujer sonrió y se quedó viéndonos, como si en ese instante nos correspondiera realizar un acto de magia que debía asombrar a ella y los demás.

—Sentémonos —dije a Anselmo al tiempo que indicaba una banca de madera adosada a uno de los muros del recinto—. Se nota a la legua que somos extraños.

—Voy a ubicarme cerca de la entrada por si aparece el maleante —agregó la mujer—. Tendré que hacerlo sola porque mis compañeras amanecieron catarrientas.

Vi alejarse a la mujer y encendí un cigarrillo mientras la serpiente de ancianos seguía reptando hasta el mesón donde los tasadores recibían los objetos de los viejos con frialdad de panteoneros.

—Una horita y nos vamos, don —dijo Anselmo.

—Una hora —sentencié y luego de palpar el costado de mi cintura, agregué—: No traje la pistola, Anselmo. Si aparece el lanza tendré que enfrentarlo a golpes de birome.

—No diga eso ni en broma.

En las dos horas siguientes fumé seis cigarrillos. Cuando encendía el segundo, Anselmo se puso de pie y recorrió la barraca, confundido entre las personas que esperaban su turno de atención. Al encender el tercero, se sentó a mi lado un anciano pequeño y delgado hasta la transparencia, que sostenía una receta médica entre sus manos. Sus ojos grises tenían un barniz acuoso, como si acabara de llorar. Me miró de reojo y movió la cabeza con rabia sorda. Deduje que se sentía solo y necesitaba conversar con alguien para no gritar o salir corriendo.

—¿No cuadran las sumas? —le pregunté.

—Recibo cuarenta mil pesos al mes. Gasto diez en la pieza que ocupo con mi vieja y me quedan treinta mil para gastar durante el mes. Los alimentos los pido al fiado en el almacén del barrio. Y no piense que compro muchas cosas. Pan, té, arroz, un litro de aceite para untar el pan. A veces un kilito de manzanas y se acabó. Además mi mujer está enferma —dijo mostrándome la receta—. El remedio cuesta seis mil pesos. ¿Qué hago? ¿Le pago menos al almacén? ¿Dejo sin remedio a la vieja? ¿Qué clase de vida se puede llevar así? Desde los quince años me partí el lomo trabajando en una imprenta. Le hice a todo. Chongüero, linotipista, guillotinador, prensero. Y de pronto se dejó caer la edad y me fui a la calle casi con lo puesto. ¿Usted cree que es justo, señor?

—¿Qué piensa hacer?

—Tirar hasta que el cuero aguante. Tengo el pellejo duro. Otros renuncian antes. Había un viejo con el que solía encontrarme los días en que pagan las pensiones. Nos fumábamos un cigarrillo, conversábamos un poco. Hoy, hace un rato, me contaron que él y su mujer se suicidaron con el gas de la cocina.

—Me refería a sus cuentas y al remedio que necesita.

—Hablaré con el almacenero y tal vez el hombre se apiade —dijo el viejo y quedó viendo el suelo con una pena infinita.

—Tal vez —repetí.

—Si tan solo pudiera trabajar. Pero hoy en día a los viejos nadie los quiere. Se habla mucho de ellos, grandes discursos, frases bonitas, pero después de la cháchara, no pasa nada —agregó el viejo, al tiempo que se ponía unas gafas trizadas para leer una vez más la receta.

—¿Tiene hijos?

—Dos, pero se fueron para el norte a tentar fortuna en la minería. Al comienzo escribían. Ahora, no lo hacen ni siquiera en navidad.

Le ofrecí un cigarrillo y el anciano lo tomó delicadamente, olfateando el aroma del tabaco, como si se hubiera tratado de un habano. Luego lo guardó en el bolsillo superior de su chaqueta.

—Gracias —dijo—. Lo guardaré para la noche.

Miré a Anselmo que, acompañado de la señora Rosa, observaba insistentemente hacia la entrada.

—Tome —dije al viejo, pasándole un billete de diez mil pesos—: Compre el remedio que necesita y algo más para su mujer.

El viejo quedó mirándome sin saber qué decir. Intentó una sonrisa que no logró alumbrar su rostro, y sin esperar más me encaminé hacia donde se encontraba Anselmo.

—Vamos —dije al suplementero.

La señora Rosa miró extrañada. Anselmo consultó su reloj.

—Usted dijo que se iba a encargar del ladrón —reclamó la anciana.

—Volveré. Hoy los peces parecen haberse ido a otra parte.

—Seguro que no se va a olvidar de nosotras —agregó la mujer, malhumorada.

Observé a los viejos y busqué al anciano de la receta que seguía contemplando el billete sin decidirse a guardarlo.

—Vamos —insistí.

7

—Parece que hubiera visto al diablo —comentó Anselmo mientras el Chevy avanzaba por San Diego.

—Cinco minutos más en ese lugar y habría comenzado a patear las murallas.

—No pensará abandonar a las viejitas. Les hablé tanto de usted, que ya lo tienen a la altura de Santa Claus.

—Volveremos una de estas tardes y tal vez entonces la fortuna nos muestre su cara. Pero por hoy es suficiente. Quiero pensar en otras cosas. Comer algo caliente, beber una copa de vino y después dormir una siesta. Cada vez me cuesta más husmear entre la gente.

—Sí que llegó mal de la playa, don. Como que dejó las ganas en la arena. Para mí que la culpa la tiene su palomita. Cuando andaban juntos daba un gusto verlo. Contento el hombre, feliz, liviano de ánimo. Creo que debiera hacerle empeño de nuevo. Agarrarla de un ala, darle unas palmadas en el plumón y de vuelta para la casa.

—No puedes obligar a nadie que te quiera. El amor es lo único que va quedando libre, Anselmo.

—Ella también se veía contenta.

—El problema es que ella recién va y yo vengo de vuelta.

—Qué enredado que habla, don.

—Hay que dejar que cada cual viva lo suyo.

—O sea que eso de pan y cebolla…

—Vale si tienes suerte y sabes cuidar lo que te llega.

—Lo que es yo, estoy fuera de la lista del reparto. Hace tiempo que no veo una. Hasta las niñas de San Martín se han ido y las que siguen en la calle, puro bofe. Ni con hambre, don.

—¿Y la canutita esa con la que salías?

—Se metió al Ejército de Salvación y partió en misión al sur. ¡Loca total! No soltaba prenda y más encima quería que aprendiera a tocar el bombo para que la acompañara en sus prédicas.

—Qué mal te trata la vida, Anselmo.

—Ni me lo recuerde. Pero, con usted tampoco lo hace nada de bien.

—Ni me lo recuerde —repetí, en el mismo momento que estacionaba frente al quiosco del suplementero.

Al entrar en el departamento percibí el silencio tristón que se deslizaba por sus piezas, a la par con la luz indecisa que penetraba a través de los visillos. Simenon no apareció para saludarme. Supuse que andaría de paseo o estaría recostado en una cornisa, observando los movimientos del barrio. Al tenderme sobre la cama el recuerdo de Griseta llegó a mi lado. Ella había aparecido en el departamento buscando un lugar donde quedarse mientras encontraba empleo, y la tibieza de sus veinte años había ocupado cada rincón del departamento, hasta que una noche se deslizó a mis brazos. Después vino el dolor de algunas muertes, un enigma y el viaje a la playa a la búsqueda de unos olvidos imposibles.

Cerré los ojos y ella me besó. Sus manos recorrieron mi rostro y busqué su cuello, la línea tenue que se deslizaba entre sus pechos hasta desembocar en la humedad silenciosa de sus piernas abrazadas a mi cintura. Y luego fue la huella indeleble. El viejo arte de dar, ciego, mágico como los ágiles movimientos de un gato; la antigua furia del abrazo que anticipa el grito y la fuga. Nada más, porque un dolor irreconocible me hizo abrir los ojos y a mi lado estaba mi soledad abrazada a la primera oscuridad del atardecer.

El teléfono que comenzó a sonar desde la oficina me obligó a ponerme de pie. Tomé el fono y reconocí la voz de Bernales repitiendo tres veces mi nombre. Parecía confundido o apremiado por algo que ni él mismo conseguía definir.

—Temí que no estuviera —dijo.

—¿Qué puede ser tan importante?

—Media hora atrás recibí una orden de mi jefe y me sentí desprotegido. Pensé que debía comentar mis aprensiones con alguien y el único nombre que se me ocurrió fue el suyo, Heredia.

—Te escucho.

—Ayer, unos periodistas me hicieron preguntas sobre la muerte de Gordon. Dije lo que sabía y nada más. Hoy, a primera hora, el jefe me llamó para reprenderme por lo que considera mis reiteradas salidas de madre con la prensa. Luego me dice que el caso Gordon se cierra. Hidalgo, a quien había detenido para interrogarlo, fue liberado. No sé qué pensar, Heredia. Tengo la impresión que lo de Gordon merecía unas vueltas más.

—Al fin coincidimos en algo, Bernales.

—El problema es que si desobedezco me pongo la soga al cuello y tampoco tengo claro por donde seguir. La historia de Hidalgo es convincente...

—Pensaba conversar con la secretaria de Gordon. Si lo hacemos juntos será más efectivo.

—¿Cree que sirva de algo? —preguntó Bernales.

—En la calle Valentín Letelier hay un restaurante que se llama *La Gaviota*. Te espero ahí, mañana a las once.

—¿Cree que sirva de algo? —volvió a preguntar.

—Empeñé mi bola de cristal —dije, y escuché que al otro lado de la línea se cortaba la comunicación.

—Los jóvenes ya no tienen buenos modales —comenté a Simenon que se había encaramado encima del escritorio.

—No empieces con tus recuerdos —respondió el gato—. Desde hace cinco años no haces más que hablar en tiempo pasado. Tu nostalgia me tiene podrido, tanto o más que esa comida chatarra que me compras.

Cien por ciento harina de pescado, muchas vitaminas y nada de colesterol. ¡Al diablo con las dietas equilibradas! Sueño con un bife de tres centímetros, pecaminoso y lleno de toxinas.

—Elegiste un mal momento para plantear tus demandas. La caja se encamina al cero con mucha prisa —dije al tiempo que sacaba del escritorio la botella de pisco.

—El toquecito de la media tarde —comentó Simenon.

—Necesito ánimo para hacer cierta visita.

—La muchachita de nuevo, ¿no?

Bebí un sorbo largo sin responder a Simenon.

—¿Mejor? —preguntó éste.

—Mejor —afirmé, disponiéndome a salir de la oficina.

Griseta estaba en su casa pero su recepción tuvo la gracia de una ducha helada en pleno mes de julio. Le hablé de los recuerdos, de la oportunidad que nos debíamos y en pocas palabras me contó que esa noche iba a estudiar con unas compañeras de la universidad. Después ofrecí acompañarla y ella rechazó mi oferta. Me sentí como el colegial que no puede comprender la lección y quedé en silencio durante un par de minutos, esperando que Griseta cambiara de opinión.

—No hagas las cosas más difíciles —dijo ella.

La miré y en el fondo de sus ojos no descubrí la lucecita vivaz de otros días. Encendí un cigarrillo, retrocedí unos pasos y me alejé hasta que Griseta cerró la puerta de la casa. Entonces comprendí que, al igual que en otras noches, debía caminar sin rumbo fijo atisbando en las sombras una sonrisa amiga que me hiciera olvidar el tiempo y la soledad de mi oficina. Una compañía de bar y un poco de charla anodina. En mi cuarta noche en la ciudad volvía a ser el de siempre y no estaba seguro de si eso me gustaba. Miré una vez más hacia la casa y luego crucé hacia la Plaza Brasil. Me quedé ahí hasta que pasada media hora, se detuvo frente a la casa un auto conducido por una muchacha que vestía un polerón azul. Hizo sonar la bocina y casi de inmediato vi salir a Griseta, con una media docena de cuadernos bajo el brazo.

Desde algún rincón de la plaza creí escuchar los comentarios de alguien que se burlaba de mí. Pero era sólo la imaginación. Como Rimbaud, pensé en una temporada en el infierno y a mi memoria vino el nombre del restaurante al que concurría Gordon.

8

Observé la entrada del *Lucifer* mientras fumaba un Derby. Esa noche su clientela parecía escasa. El portero, un hombrón que llevaba un abrigo rojo con botones dorados, conversaba con un cuidador de autos. Al costado derecho de la puerta reconocí el cartel que anunciaba las actuaciones de Ramón Aguilera, Lucho Barrios y Cecilia. La calle estaba semidesierta. Tres hombres pasaron bajo las luces que señalaban las entradas de dos cabarés venidos a menos que tentaban a los últimos bohemios de la calle San Diego.

Pasé frente al portero y subí por una escalera mal iluminada hasta llegar a un salón ocupado por varias mesas, un escenario y una barra tras la cual un barman aburrido secaba un vaso bostezando.

—Stolichnaya y tónica —pedí.

El barman, un tipo bajo y flaco que me escuchó sin mayor entusiasmo, demoró treinta segundos en dejar el trago sobre la barra.

—Poca gente —comenté.

—Jueves, viernes y sábado son los días en que actúan los artistas conocidos. Los miércoles están dedicados a la música tropical, y los martes a los chistes cochinos.

Miré hacia el salón cuando el artista que ocupaba el escenario comenzó una imitación de Sandro. No era bueno, pero a los pocos clientes que había en el lugar les daba lo mismo. Estaban más preocupados de comer y conversar.

—Quedé en juntarme con un amigo. Se llama Gordon y suele venir todas las noches.

—Soy malo para recordar nombres —dijo el barman.

—Buena mano —dije después de probar la bebida. El comentario agradó al hombre y sonrió satisfecho.

—Si busca emoción tenga en cuenta este dato —agregó, dejando sobre el mesón una tarjeta que promocionaba a una casa de masajes del vecindario.

—Lo tendré en cuenta cuando llegue mi amigo —dije y simulé observar una vez más el local.

Dos mozos se acercaron a la barra. Uno, alto y moreno, pidió tres piscolas; el otro, más bajo y gordo, ordenó un whisky con soda. Le hice una seña al barman y éste les preguntó si conocían a un cliente de apellido Gordon. El alto negó con la cabeza, y el otro, me observó de reojo y luego se acercó a mi lado.

—No ha llegado —dijo—. Siempre se ubica donde mismo, en una mesa cerca del escenario.

—Gracias —dije y coloqué mil pesos sobre la bandeja que portaba—. ¿Recuerda cuándo fue la última vez que vino?

El hombre guardó el billete y me miró desconfiado.

—No soy tira —agregué.

—Ningún tira afloja billetes. Pero de seguro usted se trae algo entre manos.

—La esposa está preocupada por sus trasnochadas.

—Gasta su dinero en vano. Ese hombre es más tranquilo que una estampita de San Antonio. Dos o tres copas por noche y a veces, algo de comer. Nunca lo he visto con mujeres, salvo que después vaya a los toples de la vuelta.

—¿Siempre estaba solo?

—Hace tres o cuatro noches atrás llegó acompañado de otros dos hombres. Me dio la impresión que discutían. Cuando me acerqué a tomar el pedido, uno de los extraños le hablaba de una deuda que debía pagar.

—¿Conocía a esos hombres?

—Nunca los había visto. No eran el tipo de clientes frecuentes. Jóvenes y bien vestidos. Uno de ellos llevaba una corbata con la Marilyn Monroe.

—Si los viera de nuevo, ¿los reconocería?

—¿Quién sabe? Tengo buen ojo, pero...

—¿Algo más?

—Bebieron dos copas cada uno. Luego, los extraños se fueron y el caballero se quedó un poco más que de costumbre.

—¿Cómo se veía?

—Serio y triste. Pidió una cajetilla de cigarrillos, cosa que me extraño porque nunca lo había visto fumar.

—¿Diría que estaba preocupado?

—Puede ser pero, ¿cómo quiere que lo sepa? Hablamos lo justo y necesario. En algún momento de la noche fui al baño y cuando regresé, se había ido.

—¿Cuál es tu nombre? —le pregunté.

—Nada de nombres. Ni tonto que me voy a meter en líos.

—Quería saber por quién preguntar si vuelvo de nuevo.

—Los mozos no somos muchos, así que no hay cómo perderse.

—De acuerdo —dije, y al tiempo que sacaba una de mis tarjetas de visita, agregué—: Mi nombre y teléfono. Si Gordon o alguno de sus amigos aparece, llámame.

—Como en las películas —dijo el hombre, burlón.

—Sí, de esas en las que nunca gana el jovencito.

El mozo sonrió y se acercó a la barra. Tomó los tragos que había pedido al barman y se dirigió hacia una de las mesas del salón. En el escenario anunciaron la actuación de Rosa Angela, la tigresa del Brasil. Apareció una mulata de piernas gruesas y un culo grande que deseaba abandonar de prisa la breve tela satinada que lo contenía. Era una fiera atractiva, y por primera vez desde que había llegado al lugar, los clientes pusieron atención a lo que pasaba en el escenario.

—Tiene de todo y en cantidades —comentó el barman.

—Las prefiero más delgadas. Con menos carne y más nervio.

—La Rosa Angela está muy bien.

—En cuestión de gusto...

—¡Mírela bien!

Bebí mi trago y pedí otro igual. El barman lo preparó con la vista fija en el escenario, sin mirar lo que hacía. Cuando probé el trago me di cuenta del resultado de tanta distracción. El vodka había caído en demasía y supuse que sería difícil llegar sobrio al fondo del vaso.

Al tercer sorbo vi acercarse de nuevo al garzón. Dejó la bandeja sobre la barra y se aproximó hasta casi tocar una de mis mejillas.

—¿Le queda otro billetito? —preguntó.

—Depende de lo que pueda oír.

—Me acabo de acordar de otra cosa.

Puse mil pesos en la bandeja y en la semipenumbra vi relucir los dientes blancos del hombre.

—Al día siguiente de lo que le conté, vino un tipo a preguntar por Gordon. Lo esperó en la mesa de costumbre, tomó dos güiscachos y se fue.

—¿Cómo era?

—Moreno, delgado. Usaba lentes sin marcos y parecía muy nervioso. Me dio la impresión que había estado antes en nuestro local.

—¿Algo más?

El mozo negó con la cabeza y volvió a tomar su bandeja. La descripción del extraño no calzaba con nadie que conociera o que hubiera sido mencionado en relación con Gordon. Pensé que no había conseguido nada. Sólo un dolor de cabeza que comenzaba a tomar cuerpo y dos o tres piezas de un rompecabezas cuya figura estaba lejos de imaginar.

Dejé de lado el vodka y puse una propina a la vista del barman.

—¿No le gustó, amigo?

—Estaba algo cabezón.

—Se lo rebajo con un poco de tónica.

—Gracias. Mañana tengo que madrugar —dije y comencé a caminar hacia la calle.

Afuera seguía todo tranquilo. En la esquina más próxima reconocí a dos muchachos al acecho de alguna víctima; un borracho caminaba cantando El Rey hacia Avenida Matta, una mujer andrajosa ordenaba un atado de trapos y cartones, y al pasar frente al Cabaré *Orión*, una patinadora me invitó a conocer las bondades de su espíritu. Todo tranquilo e igual que siempre, pensé mientras encendía un cigarrillo. Tenía sueño y ganas de estar en mi cama. Subí las solapas de mi chaqueta, ajusté la pistola al cinturón y avancé imitando la manera de caminar de Gary Cooper en *A la hora señalada*.

9

—Investigar en la Contraloría me parece útil en la medida que se pueda relacionar la información de Mujica con otros antecedentes. Intuyo que algo importante puede surgir de la muerte del auditor. No me pidas razones, es sólo una cosa de olfato periodístico. En todo caso, debes trabajar más —dijo Cambell después que terminé de relatarle mi labor del día anterior.

Eran las ocho de la mañana. El periodista se aprontaba a tomar su desayuno que comprendía medio litro de café, dos manzanas, cereales con yoghurt y tres rebanadas de pan integral con queso y jamón.

—La investigación periodística tiene sus bemoles —agregó—: Yo recurro a mi olfato y luego trato de obtener una fuente confiable. Tú sabes, siempre hay alguien con ganas de contar chismes. Lo demás son los datos que se encuentran en diarios, revistas y en la televisión. Hilar ideas dispersas, leer entrelíneas. Una buena crónica es, en buena medida, una labor de búsqueda de la aguja en el pajar. Y no pongas esa cara de espanto. Si quieres hacer buen periodismo tienes que estar dispuesto a sudar la gota gorda.

—El espanto es por tu desayuno.

—Muchas calorías al inicio del día para trabajar con las energías al tope. De las ocho a las nueve es mi única hora tranquila, después comienzo un ajetreo que no termina hasta la medianoche.

—Suelo tomar un desayuno más simple. Café, un cigarrillo y a veces, sólo a veces, dos dedos de alcohol.

Cambell mordió una de las manzanas y de inmediato apuró un sorbo de café.

—Volviendo al tema. Las investigaciones de la Contraloría suelen ser sobre faltas rutinarias. Un contador que se olvidó adjuntar tres recibos, un gasto fuera de ítem, algunos tragos que se da un jefe de Servicio con cargo al Fisco, cosas así. Mierditas de poco monto.

—Voy a entrevistar a la secretaria de Gordon.

—Si eso te hace feliz, Heredia.

—No me hace feliz, pero embarqué a Bernales en el asunto.

—Ahí tienes un tema interesante. ¿Por qué le cierran el caso? ¿Un problema de imagen? ¿Le quieren joder la vida al tira? Es bueno que le saques más información.

—Lo de Bernales parece una lucha al interior de Investigaciones. Es un cabro joven y trae una escoba nueva para barrer a los viejos.

—Tiras nostálgicos de Pinochet contra tiras democráticos. No es un mal tema, Heredia. Podrías sacar punta al lápiz con eso.

—¡Líos políticos! Siempre tropiezo con ellos.

—Hice mis averiguaciones. Gordon era militante del Partido Demócrata Cristiano. Después del setenta y tres colaboró con los milicos y antes que asumiera Alywin, se golpeó el pecho y volvió al redil. No fue el único, aunque él no obtuvo beneficios con la reconversión y debió seguir en su cargo dentro de la Contraloría —agregó Cambell antes de probar la primera cucharada de yoghurt.

—¿Y sus amigos del *Lucifer*?

—Olvídalos. Ese es un nudo ciego.

—Destruyes todas mis ideas.

—Acuérdate de la fórmula de tu amigo Solís. S y S. Suerte y sudor. Los casos se resuelven trabajando o con un golpe de fortuna. Se lo escuché decir una noche que bebimos unas copas en tu oficina. Creo que fue la única vez que estuve con él —dijo Cambell y, al tiempo que miraba su reloj, agregó—: Van a dar las nueve. Se inicia la batalla por la vida.

—Como buen periodista, no le haces asco a las frases hechas.

—Los adjetivos son pocos y las noticias siempre las mismas. Dale una vuelta más al asunto de Gordon y si no averiguas nada, inventa.

—Voy a reconsiderar mi antiguo trabajo de taxista —dije mientras caminaba hacia la salida—: Entonces tenía claro que la manera más conveniente de llegar de un punto a otro era andando en círculos.

—Llévate esto para el camino —gritó Cambell al tiempo que lanzaba por los aires una de sus manzanas—. Si no te la comes, golpéate con ella la cabeza. Así empezó Franklin.

—Newton —rectifiqué luego de atrapar la fruta.

—Franklin, Newton, Einstein. ¿Quién cree en ese cuento de la manzana?

Yo no, me dije mientras subía al auto y daba el primer mordisco a la manzana. Luego pensé en los círculos. Cada investigación era una línea que alguien, por algún motivo desconocido, cambiaba de dirección y era necesario volver a su curso, para restablecer el precario sentido de justicia que portaba en mis bolsillos, junto a un pañuelo, las llaves del departamento y media docena de clips que retorcía entre mis dedos cada vez que pensaba en algo complicado o aparentemente sin salida.

Bernales aguardaba en *La Gaviota*. Había pedido café y junto a la taza tenía un diario en el que había hecho algunas anotaciones con lápiz de pasta azul.

—¿Buenas noticias? —le pregunté a modo de saludo.

Bernales sonrió levemente.

—Solía ser bueno en geografía política. Pero ahora, con la disolución de la Unión Soviética y la guerra en los Balcanes, mi capacidad de retener nombres se fue al tacho.

—Todo solía ser más claro, como en las películas de vaqueros que daban en las matinées. Ahora ya no se entiende nada. Los buenos se pusieron malos, y los malos, al no tener que ser tan malos, nos parecen buenos. Parece discurso de Cantinflas, sólo que no me hace mucha gracia.

Bernales cerró el diario y encendió un cigarrillo.

—Te ves nervioso —dije.

—Hoy es la tercera vez en quince días que despierto con un llamado anónimo.

—¿Por qué?

—En el último mes he dado dos buenos golpes a los narcos y en el Servicio hay gente que tiene las manos untadas. Y no sólo eso. Todavía no tengo pruebas, pero estoy investigando a una cadena de moteles cuyo propietario es un empresario que suele aparecer en los diarios haciendo donaciones de caridad.

—¿Moteles?

—Se declaran todas las piezas arrendadas y cada noche se lava un millón de pesos, por lo bajo. Si lo multiplicas por treinta noches y quince moteles, el negocio es redondo. Y si no son moteles, está la construcción de edificios. Tratan de sacarme de la cancha, Heredia. Amenazas y presiones hasta que renuncie —dijo Bernales y, luego de beber su café, añadió—: Por eso debo explorar todos los asuntos turbios que salen al camino.

—Como la muerte de Gordon.

—¿Por qué no?

Moví los hombros y miré hacia la calle. Un perro rastrojeaba un tacho de basura y su cola se movía de un lado a otro, impaciente.

—Él y yo nos parecemos —murmuré.

—¿Qué dice, Heredia?

—Es hora de conversar con la secretaria de Gordon.

Julia Bustos era una mujer menuda, de ojos azules y vivaces. Debía estar cerca de los cincuenta años, pero su rostro conservaba una rara frescura juvenil, acentuada por el rojo fino de sus labios y una sonrisa que le brotaba rápida y sin esfuerzo. Bernales le mostró su placa y sin reparos la mujer nos hizo entrar al que fue el despacho de Gordon. El lugar me recordó la oficina de Mujica. Un escritorio amplio, estantes con libros jurídicos, una colección de diarios oficiales encima del escritorio, junto a un botellón de cristal y dos copas talladas. Bernales se acomodó en un sillón. La secretaria y yo permanecimos de pie, rodeando el escritorio. En una de las paredes de la oficina había siete diplomas y una insignia de bronce del Club de la Universidad Católica.

—Nadie tocó nada —dijo la mujer—. Están esperando la llegada de un hermano de don Federico que vive en Valdivia.

Bernales observó la oficina sin saber cómo iniciar el interrogatorio. Sus ojos iban del escritorio a los muros, y de éstos a la secretaria que parecía dispuesta a contestar todas las preguntas que le hicieran.

—¿Desde cuándo trabajaba con el señor Gordon? —pregunté.

—Quince años —respondió Julia Bustos—. Estuve dos años en la oficina de partes y después me destinaron a trabajar con él. Era un jefe comprensivo y de buen trato.

—¿Podía reconocer sus estados de ánimos?

—Después de tantos años —comenzó a decir la mujer, y se detuvo a medio camino de la frase para enjugar una lágrima que se deslizaba por su mejilla izquierda—. Con sólo mirarlo en las mañanas sabía si estaba contento o de mal genio.

—¿Cómo se le veía en las últimas semanas? —preguntó Bernales.

—Preocupado. Debía concluir una serie de informes que tenía pendientes —respondió la secretaria.

—¿Llevaba algún registro de sus actividades? —pregunté.

—Las anotaba ahí —dijo, indicando una agenda encima del escritorio.

—Quiero ver las anotaciones de las dos últimas semanas.

La mujer tomó la agenda y la abrió en una parte indicada con un separador de hojas. Luego, dejó la agenda en mis manos y se dispuso a resolver mis posibles dudas.

—Dupré. Ese apellido aparece escrito ocho veces —dije después de leer el contenido de la agenda.

—La señorita Adelina Dupré, la jefa de don Federico. Se reunían a diario para conversar de los trabajos.

—Fernando Abarca —seguí leyendo.

—Un amigo personal.

—Urbano Otero. Aparece anotado cinco veces en dos semanas.

—Es un abogado de la Consultora Benex.

—Rodrigo Maspérez y Claudio Plaza. Dos veces.

—También son abogados de la misma empresa. Se reunían debido a un informe que estaba elaborando el señor Gordon.

El resto de las anotaciones correspondían a citas con su médico, reuniones en el Club de Leones y visitas al sastre. En una hoja de papel que había sobre el escritorio anoté los nombres que acababa de leer.

—Don Federico era una persona tranquila. No sé cómo pudo terminar de ese modo —dijo la secretaria.

—Los más tranquilos son los más peligrosos —comentó Bernales y la mujer lo observó con desagrado. El policía sonrió y agregó—: ¿Sabe si su jefe tenía algún asuntillo oculto? Una amante, aficiones raras.

—¡Por Dios! ¿Cómo se le ocurre pensar una cosa así?

—Tranquila, doña Julia —dije conciliador—. Son preguntas que estamos obligados a hacer. La muerte de su jefe sale de lo común y es necesario considerar todos los antecedentes que puedan ayudar a descubrir al asesino.

La secretaria entendió mis razones y luego de mirar a su alrededor, dejó caer su cuerpo sobre una silla.

—Nos interesa saber en qué estaba trabajando —agregué.

—Él hacía tantas cosas, señor.

—Sabemos que estaba redactando tres informes. ¿Es posible conocer sus contenidos?

—Las copias deben estar en esa carpeta —dijo la

mujer al tiempo que mostraba el portafolio de cuero que estaba sobre el escritorio—. Despachó los tres informes el día antes de su muerte.

Bernales abrió el portafolio y buscó en su interior.

—Servicio de Bienestar de la Tesorería General de la República y Municipalidad de Ñuñoa —leyó en voz alta, y luego de volver a revisar el portafolio, agregó—: Hay dos informes, nada más.

—Estoy segura que dejé juntos los tres —alegó la mujer—. Lo recuerdo muy bien, porque incluso se lo comenté a otra secretaria. El señor Gordon era un caso especial. El único auditor en toda la División que trabajaba varios temas a la vez. Los demás, eligen uno y le dan vueltas durante meses.

—Entonces, alguien sacó uno de los informes —dije.

—¡Imposible! —insistió la secretaria—. Me habría dado cuenta.

—Revise la carpeta —le ordenó Bernales.

La mujer obedeció y casi de inmediato movió su cabeza en un gesto de incomprensión.

—Puedo jurar y rejurar que estaban ahí —dijo—. En el registro de despachos debe estar la constancia del envío.

Seguimos a la mujer hasta su escritorio ubicado en una oficina contigua a la de Gordon y la vimos revisar un grueso cuaderno en el que registraba los documentos que salían de la oficina.

—Aquí está —dijo mostrando una anotación—. Dice clarito, Informe Consultora Benex, Proyecto Gaschil. Y más abajo están los otros dos.

—¿Por qué no está la copia? —preguntó Bernales.

—No era usual que lo hiciera, pero tal vez el señor Gordon se la llevó. En todo caso, puedo sacar otra —dijo la secretaria, acomodándose frente a un computador.

Bernales encendió un cigarrillo, volvió a la oficina de Gordon e inició el registro de los cajones del escritorio. Lo observé trabajar hasta que oí a la secretaria emitir un aullido de gata apaleada. Su rostro pálido contrastaba con el brillo de la pantalla del computador, y sus manos aferradas a su rostro reflejaban todo su asombro.

—No puede ser —la oí murmurar.

—¿Qué no puede ser, señora?

—El archivo del informe está borrado.

—¿Está segura?

—Yo misma lo escribí.

—¿Quién más que usted utiliza el computador? —oí preguntar a Bernales.

—Es para mi uso personal pero, en la práctica, cualquiera tiene acceso a él —contestó la mujer con aire desvalido.

—Usted dijo que había enviado el informe a otra oficina. Ahí debería estar archivado, ¿no es así? —pregunté.

—Voy a consultar —dijo la secretaria y tomó un citófono.

Caminé hasta el escritorio de Gordon y tomé las copias de los informes que habíamos encontrado en el portafolios. Los doblé en cuatro y los guardé en mi chaqueta. Cuando regresé al lado de la secretaria, ésta parecía haber caído en una repentina depresión. Sus ojos miraban a un infinito de paredes grises y su boca se negaba a dejar salir palabra alguna. Le alcancé un vaso de agua que estaba junto al computador y la mujer lo bebió con avidez.

—En la secretaría de la División no hay ningún registro del documento. Sólo recibieron los dos que encontramos.

—¿Acaso no iban juntos los tres informes? —pregunté.

—La secretaria no lo sabe. Al parecer ella no estaba cuando los llevaron y habrían sido recepcionados por su jefa, la señorita Dupré. Parece extraño, pero suele suceder cuando las secretarias son enviadas a hacer otras labores. Sin embargo, la secretaria dice que la letra con que se registraron los otros informes no es de su jefa. Podría ser la letra de quien los llevó.

—¿Quién hace los despachos? —preguntó Bernales.

—Moralito, el estafeta —respondió la secretaria.

—Tendrá un nombre cristiano —dije. Detestaba los diminutivos que habitualmente propinaban a los empleados. Siempre eran Juanitos, Gonzalitos o Luchitos que terminaban apocados y reducidos a la distorsión de sus nombres.

—Gabriel Morales Avendaño. Trabaja con nosotros desde hace más de diez años.

—¿Dónde podemos ubicarlo?

—Pidió unos días administrativos. Tenía a su hermana enferma, en Curicó, me parece.

Bernales hizo una seña para indicarme que ya no teníamos mucho más que hacer en esa oficina.

—Volveremos para hablar con él —dijo Bernales—. No comente con nadie el asunto del informe que falta. Al parecer tenemos un robo que es necesario investigar.

La secretaria asintió, temerosa.

—Le dejo mis señas por si sabe algo de los papeles extraviados —dije, al tiempo que colocaba una de mis tarjetas de visita sobre el escritorio.

—Juro que el informe fue despachado y que estaba en el computador —alegó la mujer, descompuesta.

—No es la primera vez que se pierden papeles en una repartición pública. Lo extraño sería encontrarlos donde uno cree que deben estar.

10

—¿Qué será Gaschil? —preguntó Bernales por
tercera vez, antes de mordisquear el completo. Había
insistido en pasar a comer al *Pollo King* del paseo Huér-
fanos y estábamos en un subterráneo con paredes re-
cubiertas de espejos circulares. A nuestro alrededor un
grupo de liceanos comía papas fritas. En un rincón, una
morena de piernas largas fumaba y jugaba con un vaso
de refresco entre sus manos. A través de los espejos
podía ver su rostro y sus labios rojos. Bebí un sorbo del
café y por unos segundos la imaginé en mis brazos,
lejos del aroma a fritura que impregnaba el ambiente.

Ninguno tenía una respuesta atinada que dar.
Saqué los informes de Gordon y le pasé al policía el de
la Tesorería General. Leí en silencio y luego de unos
minutos puse el informe sobre la mesa y volví a con-
centrarme en el café.

—Nada —dije—. Un contador de tercera fila se
olvidó de acreditar algunos gastos. Tal vez fue un error
o el muñeco quiso darse un aumento de sueldo. Como
sea, dudo que en la municipalidad de Ñuñoa encon-
tremos lo que buscamos.

—Y aquí tampoco —agregó Bernales—. Es el re-
glamento del Servicio de Bienestar de la Tesorería. Al
parecer cambiaron tres artículos y Gordon los conside-
ró correctos. Tampoco nos sirve.

—¿Qué carajo puede ser eso de Gaschil? —preguntó Bernales por cuarta vez—. ¿Una empresa? ¿Una
sigla? ¿El apellido de una persona?

112

—Lo suficientemente valioso como para ocultar un informe.

—Y para matar a Gordon.

—Quién sabe. He sabido de funcionarios que han ido a dar con sus cabezas contra un kárdex, pero nunca de informes mortales.

—Hay un par de cosas que voy hacer, Heredia. Primero, averiguar si hay antecedentes de Gaschil en el archivo de la Brigada de Delitos Económicos. Segundo, ir a la casa del estafeta.

—¿No te interesa conversar con la jefa de Gordon?

—Se supone que estoy fuera del caso. Y para entrevistar a esa señora, tendría que informar a mi jefe.

—El cual sacaría una sartén para freírte los huevos.

—Sus bromas no me gustan, Heredia.

—No son peores que los chistes que dicen en la tele —dije antes de terminar el café.

—¿Qué piensa hacer? —preguntó Bernales.

—Dar de comer a Simenon.

—Puede hablar en serio. Desde que lo conozco, nunca he entendido su amor por ese animal. Si se tratara de un perro, lo entendería; pero, un gato.

—Nunca podrá comparar a un gato con un perro.

—¿No, por qué?

—Te respondo con una cita de Jean Cocteau: «Prefiero los gatos a los perros porque no hay gatos policiales».

11

De regreso a mi oficina recordé a mi amigo Stevens. Durante tres años compartimos la vecindad de nuestros departamentos y una infinidad de trasnochadas en las que bebíamos escuchando los murmullos del barrio o los discos de Goyeneche que él coleccionaba con la fidelidad reservada para las grandes causas. Stevens sostenía que si uno pensaba mucho en algo, ese algo terminaba por hacerse realidad. La noche que escuché su teoría me reí, pero una mañana en la que no tenía dinero ni para un pobre desayuno, salí a caminar con la idea de encontrar mil pesos. Anduve por San Pablo hacia el poniente, vitrineando en mueblerías, almacenes y boticas, hasta que al cabo de media hora, al llegar a la calle García Reyes, encontré un billete de mil pegado a la reja del alcantarillado.

Recordé a Stevens y pensé en Griseta, seguro de que al llegar al departamento la encontraría entre mis cosas, durmiendo o jugando con Simenon. Pero la teoría del ciego no funcionó. Mi oficina y el departamento estaban desiertos y sólo encontré un volante que alguien había deslizado bajo la puerta. Pertenecía a Madame Zara y era una variante del panfleto que me había entregado su secretaria el día de mi visita: «Madame Zara resolverá sus problemas por muy difíciles que sean. Si tiene alguna persona ausente, anda mal en el amor, negocios, fracasos y juicios. Si sufre de angustia, impotencia sexual, soledad o incomprensión, visite a Madame Zara».

Tomé el teléfono y de inmediato reconocí la voz de mi vecina.

—Soy Heredia —dije.

—Escuché sus pasos al salir del ascensor y sabía que me iba a llamar.

—Necesito conversar con usted. Estuve leyendo su panfleto y creo que, salvo la impotencia sexual, tengo todos los problemas que usted resuelve.

—¿No estará hablando en serio?

—¿Cuándo puede recibirme?

—Venga de inmediato. Hoy la clientela escaseó y tengo un té que acabo de preparar. Estoy segura que le va a gustar.

Madame Zara en persona me abrió la puerta. Llevaba una túnica negra que la hacía verse más esbelta. Me hizo pasar a su consulta y nos sentamos alrededor de una mesa de madera, pintada de verde y con cierto estilo que recordaba los amoblados de los restaurantes chinos.

Tomó mis manos y las apretó fuertemente entre las suyas.

—Dudas, cansancio y pena —dijo.

La miré a los ojos. Ella me sostuvo la mirada hasta que me vi obligado a prestar atención al medallón de piedra blanca que colgaba en medio de sus pechos.

—El diagnóstico es bueno, pero en otro orden.

—El cansancio es por su trabajo; las penas por una mujer y las dudas por un hombre extraño. ¿Me equivoco?

—No saco nada con decirle que no —respondí—. Usted parece estar al tanto de todo.

La adivina soltó mis manos, encendió un trozo de incienso que perfumó la habitación y concentró su mirada en un punto del cielo raso. Al rato pareció despertar del breve sueño y como si nada hubiera pasado, dispuso sobre la mesa dos tazas de té.

—La gente está cada día más angustiada e insegura —dijo Madame Zara—. Se preocupan de lo material y se olvidan del espíritu. Pierden de vista el equilibrio que debe existir entre el cielo y la tierra. Yo las

115

obligo a mirarse a sí mismas, en su interior. Algunas se dejan conducir y aprenden algo; el resto viene a escuchar sólo lo que quiere. Les digo que van a ser felices, amadas y ricas. Es mentira, pero se conforman porque no les exijo nada.

—¿Y en qué categoría quedo yo?

—Usted va y viene por ahí, pero ya no cree ni espera nada —dijo la adivina.

—Creo en más cosas de las que usted podría imaginarse. De lo contrario ya me habría pegado un tiro en la sien. Y en cuanto a no esperar nada, es sólo una táctica. Si nada espera, todo lo que llegue será bienvenido. Es como jugar con un as bajo la manga.

—No se le pueden hacer trampas a la vida, Heredia.

—Y si no es con trampas, de qué otro modo se puede sobrevivir.

Probé un sorbo de té y sentí una especie de alivio, como si alguien hubiera abierto una ventana para que entrara una ráfaga de aire fresco.

—Cansancio, dudas y penas —dije, recordando los recientes juicios de la adivina.

—El cansancio se le pasará con una noche de buen sueño y algunas tazas de este té —agregó Madame Zara—. Sus dudas tienen que ver con un hombre cojo. Usted no lo conoce, pero alguien le ayudará a llegar a él. Una mujer que alguna vez le habló del mar y la naturaleza.

—¿Un hombre cojo?

—Oscuro y astuto.

—¿Y la mujer?

—Su imagen está borrosa. Tendrá que buscar en su interior, Heredia.

—¿Y la pena? —pregunté, concentrando mi atención en sus labios rojos.

—¿No adivina cómo puede pasarla? —preguntó, y antes que pudiera pensar en una respuesta, ella se acercó a mi lado y me cubrió con sus brazos. Sentí sus labios sobre los míos, y como un náufrago aferrado a un madero, sumé mis fuerzas y conseguí apartarla con un leve empujón.

—Se equivoca, señora —protesté, al tiempo que me ponía de pie—. Creo que no es lo que necesito en este momento. De todos modos, gracias por el té.

—Necesitas de mí, Heredia —sentenció sin rencor, y algo en las arrugas que tenía junto a sus labios me hizo pensar en una mujer que buscaba desesperadamente retornar a viejos juegos.

Caminé hasta la salida del departamento y antes de abrir la puerta volví a escuchar su sentencia. Traté de responder pero, cuando llegué al pasillo tuve la sensación de estar hundiéndome en un sueño del que tardaría muchas horas en despertar.

12

En alguna parte dentro de mi cabeza escuché el tañir de una campana. Era un repicar grato, amable, que me recordó el llamado a los fieles desde una iglesia chilota de tejuelas deslavadas que se recortaba sobre un nítido fondo azul, después de una noche de lluvia y mientras aún se distinguía sobre los sembrados el beso enérgico de la escarcha. El volumen del tañido aumentó y lentamente abrí los ojos. Mientras un rayo de luz barría mi cara recobré la imagen del cuerpo de Griseta a horcajadas sobre el mío. Sus palabras en una tarde en que después de salir del cine emprendimos una carrera loca hasta llegar al departamento, y unos versos de Gonzalo Rojas que ella leyó después de hacernos el amor: «La palabra placer, cómo corría larga y libre por tu cuerpo la palabra placer».

Me senté en la cama y Simenon se encaramó sobre mis piernas, buscando el contacto de su lomo con mis manos. Lo acaricié suavemente hasta que su pelaje adquirió el brillo de la nieve. Cogí el teléfono, marqué un número y pregunté por Griseta.

—Heredia —oí decir a Griseta—. ¿Qué pasa?

—Quería...

—¿Qué? —insistió ella al advertir mi vacilación.

—Necesitaba oír tu voz —dije y corté.

—¿Otra vez la muchacha? —creí oír preguntar a Simenon.

—¿Cómo dejo de repetir su nombre cada vez que estoy solo?

—Espera que pase el tiempo. Tal vez ella regrese o tú la olvides.

—Tu consejo se parece a un bolero de los malos.

—Piensa en otras cosas.Tus dudas sobre la muerte de Gordon.

—Hasta ayer en la tarde creía tener algunas cosas claras. Luego la adivina enredó el naipe. Habló de un hombre cojo y de una mujer que me había conversado algo relacionado con la naturaleza.

—¿Recuerdas el viaje desde la playa?

—¿Cómo se llamaba la mujer que nos recogió? Ella dijo que era experta en problemas de impacto ambiental.

—Verónica Jéldrez.

—Por ahí debo tener su tarjeta.

—En los libros que traíamos de la playa.

—¿Qué haría sin tu ayuda, Simenon? Como dijo Baudelaire... El gato «es mi espíritu familiar; juzga, preside, inspira todo desde la altura de su imperio, ¿por ventura es un mago, un dios?».

Dejé a Simenon devorando una ración extra de wiskas y conduje a toda prisa hasta la oficina de Verónica Jeldrez. El lugar era una casona antigua de dos pisos, rodeada de flores y árboles añosos, a la que se entraba a través de una puerta de cristales tallados con flores y arabescos. En el frontis un gran letrero anunciaba: Centro de Estudios Ambientales.

Junto a una mesa cubierta de folletos que promovían la defensa de las ballenas, divisé a una muchacha flaca y paliducha que parecía ser el modelo ideal para un afiche sobre la desnutrición.

Antes que se fatigara con un saludo le pregunté por Verónica Jéldrez.

—¿Quién busca a Verónica? —escuché que preguntaba desde una de las oficinas interiores un vozarrón que trajo tras de sí la figura de un hombre rubio y tan alto como la puerta que acababa de cruzar. Debía tener algo más de cincuenta años y, a pesar de la panza que delataba a un profesional de la cerveza, se veía fuerte y atlético.

—Me llamo Heredia y deseo conversar con la señora Jeldrez —dije, midiendo el efecto de mis palabras.

El hombrón sonrió. Alzó una de sus manazas para señalar la oficina de la cual había salido un momento atrás. Seguí sus indicaciones y entré a una pieza cuyo único amoblado era una mesa de dibujo y dos bancos de madera torneada.

—Tome asiento, por favor. Soy Tom Ballinger, el esposo de Verónica —dijo el grandote hablando a tropezones—. Ella anda de viaje en Buenos Aires, pero yo puedo atenderlo.

—Lástima, estoy haciendo cierta investigación y tengo dudas respecto al nombre de una empresa.

—Lo invito a beber unas cervezas y me cuenta los detalles —interrumpió Ballinger, tajante.

Desde una hielera portátil que estaba bajo la mesa sacó dos latas de Royal Guard.

—Supongo que bebe cerveza —agregó, al tiempo que dejaba a mi alcance una de las latas.

—A veces porque tengo frío, a veces porque tengo calor.

—¡Perfecto! Desconfío de los hombres que no beben —sentenció, y después de beber un largo sorbo de cerveza, comenzó a contarme pasajes de su vida.

Ballinger era de Illinois, Estados Unidos. Había estado en la marina y combatido dos años en Vietnam, antes de licenciarse con una pensión que le permitió recorrer algunos países latinoamericanos hasta llegar a Venezuela, donde conoció a Verónica Jeldrez, quien se hallaba exiliada en ese país desde el año 1975. Juntos habían participado en actividades de Greenpeace y finalmente decidieron viajar a Chile para instalar una escuela de estudios superiores que entregaba el errático título de Técnico en Gestión Ambiental. Su forma de hablar me recordó a Tarzán y después de escucharlo media hora, deduje que se trataba de un tipo franco y capaz de trenzarse a golpes por algo que consideraba justo.

—¿Gaschil? —le pregunté después de haber conocido gran parte de su vida.

La pregunta pareció impulsar algún mecanismo en su interior. Abrió los brazos, agitó sus manazas y sólo se tranquilizó cuando recordó la hielera y sacó de ella una segunda lata de cerveza.

—¿No sabe qué es Gaschil? —preguntó.

Negué con la cabeza.

—Los chilenos no tienen conciencia ecológica. Congestión vehícular, chimeneas, corte de bosques en el sur, extracción de locos, salmoneras que contaminan. Tantos recursos perdidos. Un día la caquita les va a llegar al cuello y no van a saber de qué se trata. Gaschil es el nombre de una empresa americana que quiere construir un gasoducto entre Argentina y Chile. Fea cosa. Si la construcción no se hace bajo severos controles se puede destruir la naturaleza y generar un grave peligro ambiental. El proyecto ya tiene varios años de estudio. Un amigo mío puede informarlo mejor. Se llama Miguel Bórquez y es, ¿cómo se dice?, capo, el líder de un grupo ecologista chileno. Si le interesa, yo le puedo facilitar la dirección de Bórquez.

—Supongo que es un proyecto de mucho dinero. ¿Me equivoco?

—Dinero, mucho dinero. Hace poco leí un documento acerca de los inicios del proyecto. Había otras empresas interesadas, y una de ellas recibió presiones del gobierno argentino. Dos asesores de Menem pidieron honorarios extras para adjudicar el proyecto. La empresa protestó a la embajada de mi país en la Argentina y fue descubierta la jugarreta de los asesores. Debería conversar con Miguel. El tiene mucha información sobre el tema.

—Anotaré su nombre —dije sin mucho entusiasmo.

—¿Por qué te interesa el asunto? —preguntó el gringo, tuteándome.

Quise mentirle, pero al sentir la mirada abierta de Ballinger, pensé que no lo merecía. Le conté lo del *Hotel Central* y de Gordon.

—Bonito lío en el que estás metido. ¿Por qué?

—Soy investigador privado.

—¿Como Lew Archer o Jim Chee? ¿Quién te contrató? —preguntó Ballinger.

—Nadie. No recibo un peso por este trabajo.

—¿Estás loco, o qué? —preguntó Ballinger y se rió —. Me gustan los líos. Te acompañaré a donde Bórquez. Pero no hoy ni mañana. El domingo hay una manifestación en contra de las pruebas atómicas en el Atolón de Muroroa. Tú me dices dónde, y yo te paso a buscar en mi vehículo.

—Gracias por la ayuda —dije y le entregué una de mis tarjetas de visitas—. Ahora, me voy.

—De ninguna manera. Mi mujer está lejos, mis hijos andan de vacaciones en el sur, donde la abuela, y yo estoy solo. Tú te quedas conmigo. Me gustan los tipos locos que trabajan por nada. Podemos beber algunas cervezas más. ¿De acuerdo?

TERCERA PARTE

1

Estaba solo en la oscuridad de un callejón solitario y en mis pensamientos comenzaba a nacer la promesa inútil de siempre: nunca más. Abrí los ojos y me reconocí con el rostro apoyado en el escritorio mientras el teléfono rabiaba como automovilista en una tarde de viernes. Dejé que sonara quince o veinte veces y cuando calló, sentí que Simenon lengüeteaba con entusiasmo mi oreja izquierda.

—No lo parece, pero estoy vivo —dije, observando el verde profundo de sus ojos.

—Meses que no te veía igual —pareció comentar Simenon.

—Una lleva a la otra y la otra a la siguiente. Al final la suma es alta y cuando se quiere retroceder ya es tarde. El mundo comienza a girar de prisa y una sonrisa estúpida se apodera de tu rostro. Ese maldito gringo y sus historias, enlazadas unas tras otras con sus cervezas y su vida, llena de recovecos, de ires y venires. Parece que jamás ha desperdiciado un minuto. Vietnam, África, Europa, Centro América, Santiago. A tipos así parece que nada los detiene. Uno sabe que la vida es igual en todas partes y que nada dura para siempre. Y sin embargo, ya lo ves, algunos nos quedamos aferrados al barrio, a la pequeña nostalgia de los pasos conocidos.

—Una borrachera de miedo —comentó Simenon, alejándose unos pasos—. Más vale salir a recorrer el barrio, porque hoy, en esta casa, el desayuno llegará tarde.

—Sólo miras la vida desde tu panza absurda.

Indiferente, Simenon siguió su camino y luego de tres brincos lo vi desaparecer a través de la ventana, hacia un horizonte de techos oxidados.

—¡Quién necesita compañía! —protesté al tiempo que me ponía de pie y caminaba hacia una ducha helada que me hizo recobrar la lucidez. Enseguida, puse en el tocacintas *El Titán* de Mahler, busqué una camisa limpia e inicié el lento rito de vestirme y recuperar la noción de mi cuerpo abotagado por los resabios de la cerveza.

Más tarde, me senté a leer el diario que Anselmo deslizaba cada mañana por debajo de la puerta. Me detuve en las páginas hípicas y luego de analizar llegadas y pesos físicos de una treintena de caballos, seleccioné seis a los cuales apostaría en la sucursal hípica de la calle Bandera. Cada uno de los elegidos registraba llegadas entre el quinto y octavo lugar, serían conducidos por jinetes de segunda fila y de seguro, pagarían un dividendo de veinte a uno. Mi sistema de apuesta, si así se le podía llamar, era confiar en la superación de los perdedores. Nunca jugaba a los favoritos, porque hacerlo era creer que la vida sólo acepta el brillo de la fama o de los poderosos. Apostar a caballos con poca opción era tan real como optar por la cara oculta de la luna, que nunca vemos pero que nadie se atreve a decir que no existe.

El teléfono volvió a interrumpir la tranquilidad del departamento. Tomé el fono de mala gana y desde el otro lado de la línea escuché la voz agitada de Bernales. Dijo dos veces mi nombre y sólo después de mi respuesta se animó a seguir hablando.

—¿Dónde estaba? Lo llamé ayer en la noche y también esta mañana —regañó.

—La vida tiene demasiadas vueltas y a veces uno trata de darlas todas en un día.

—No lo llamé para oír su filosofía barata. Se trata de…

Bernales parecía irritado por algo ajeno a nuestro diálogo.

—Has pensado en visitar una casa de masajes. Se nota que necesitas un relajo —lo interrumpí.

La comunicación se cortó. Dejé el fono en su sitio y treinta segundos más tarde volvió a sonar.

—No es con usted la bronca, Heredia —oí decir a Bernales en tono más conciliador—. Las cosas se han encrespado en la oficina.

—Podemos hablar y beber unos tragos —dije, y de inmediato me arrepentí al recordar la borrachera con Ballinger.

—En otra oportunidad —respondió Bernales—. Nuestro asunto se complica.

Respiré aliviado y tomé la cajetilla de Derby que estaba sobre el escritorio.

—¿Nuestro asunto? —pregunté para ganar los segundos que me permitirían ordenar mis ideas acerca de la muerte de Gordon.

—¿Recuerda a Morales, el estafeta? Su nombre me quedó dando vueltas. Llamé al Departamento de Personal de la Contraloría y averigüé su dirección. Partí a verlo y me encontré con un drama. Su esposa acababa de llevarlo a la Posta Central. Un taxi lo atropelló a media cuadra de su casa. Ubiqué a la esposa, pero no estaba el horno para cocer bollos. Morales llegó muerto a la Posta.

—No quisiera pensar mal, pero...

—¿Quiere acompañarme al velorio? Saco el auto del estacionamiento y en cinco minutos estoy en General Mackenna con Bandera.

—Cinco minutos —repetí.

Bernales conducía un Opel Astra nuevo al que todavía no le había quitado los plásticos que cubrían los asientos. Esperó a que me ajustara el cinturón de seguridad y enseguida aceleró. Morales, el estafeta de Gordon, vivía en la Villa Sur, en una población que recordaba llena de casas chatas y aladrilladas.

—¿Qué opina? —preguntó. Bernales acababa de dejar la Gran Avenida y avanzábamos en dirección al sur de Santiago. De tanto en tanto, veíamos algún conjunto habitacional nuevo y niños que jugaban en veredas terrosas.

—Nunca he creído en brujos.

—¿Le parece sospechosa la muerte del estafeta?

—Al menos alienta algunas preguntas.

La casa de Morales quedaba en un pasaje a cuyos costados se alineaba una serie incontable de casas diseñadas por un arquitecto aficionado a las ratas. Treinta y seis metros cuadrados en los que se amontonaban los matrimonios con sus hijos, perros y gallinas. Una cocina y dos ambientes con pisos de cementos en los que cocinaban, mantenían a los niños tranquilos y por las noches, fornicaban sin derecho a la más mínima expresión de placer.

Tres vecinos conversaban fuera de la casa. En su interior otros tantos trataban de consolar a una anciana vestida de negro. Bernales se presentó y la mirada de la gente nos arañó la piel. Estábamos fuera de lugar y representábamos al club de sus tipos más odiados.

—Menos mal que llegaron —oí decir a una mujer joven y gorda que parecía familiarizada con la casa—. Fuimos a poner la denuncia a la comisaría y los pacos ni siquiera nos inflaron.

—¿Usted es la esposa del difunto? —le preguntó Bernales.

La gorda negó con la cabeza. Dijo que era una prima de Morales y mientras se acercaba a nosotros trató de poner orden entre los extraños que invadían la habitación.

—La Nelly está en la capilla, acompañando con sus dos chiquillos al Gabriel —agregó la mujer, al tiempo que nos indicaba la calle—. Si fuéramos ricachones ya habrían pillado al culpable. Porque accidente no fue. El taxista andaba con copete en el cuerpo.

—¿Cómo fue el atropello? —pregunté y la mujer me observó, desconfiada.

—¿Usted también es policía? No tiene mucha cara —sentenció la mujer, antes de comenzar su relato—. El finado salió de la casa, fue hasta el quiosco de

128

la esquina y compró una cajetilla de Hilton. Por la tarde iban a salir para San Fernando a visitar a los padres de la Nelly. Era un viaje a la rápida porque al Gabriel lo obligaron a tomar unos días de feriado.

—¿Obligaron? —pregunté—. ¿Quién?

—Algo así fue lo que escuché. En todo caso, la Nelly debe tener más clara la película.

—Íbamos en los cigarrillos —dijo Bernales.

—A media cuadra de la casa el taxi topó al Gabriel. Unos niños dicen que el auto estaba parado y que de repente se le fue encima.

—¿El auto estaba estacionado?

—Durante bastante rato.

—¿Reconocieron al conductor? —volví a preguntar.

—No. Por aquí a cada rato aparece gallada extraña que vende pasta base y marihuana. En las tardes se dan unas vueltas, ubican a las patotas de muchachos y ofrecen sus porquerías. Eso es el pan de cada día y los pacos hacen la vista gorda. A veces llegan niñitos del barrio alto que les roban el auto a sus padres, se empepan y corren a toda máquina por las calles de la población. Hace dos semanas atropellaron a un cabro chico que jugaba frente a su casa.

—¿Usted sabe si el finado tenía algún problema en el trabajo? —pregunté a la mujer.

—De eso tendrían que hablar con la Nelly.

—¿Nos puede acompañar? —preguntó Bernales a la mujer.

La gorda no dijo nada. Alisó su falda con sus manos y se puso a caminar hacia la salida del pasaje. Caminaba rápido y tuve que apurar mis pasos para no quedar atrás.

—¿Y ahora qué va hacer la Nelly? —se preguntó la prima—. Sola y con dos chiquillos. No le va a quedar otra que volver al campo o trabajar de empleada doméstica.

Encendí un cigarrillo y guardé silencio hasta que llegamos a una sala que contenía media docena de bancas y una ventana a través de la cual entraba la luz tristona que esa tarde iluminaba los rostros de la veintena de personas que rodeaban un féretro pobre, cubierto de flores marchitas. En un rincón, una mujer de rostro huesudo abrazaba a dos niños de ocho a diez años que, sin darse mucha cuenta de lo que sucedía, miraban a un lado y otro sin encontrar nada que les llamara la atención. El resto, eran mujeres que vestían ropas oscuras y cinco hombres cabizbajos.

La gorda se acercó a la mujer y le habló al oído. La viuda miró hacia donde nos encontrábamos y sin entusiasmo se puso de pie y llegó a nuestro lado. Tenía los ojos llorosos y unas ojeras profundas afeaban su rostro.

—¿Quieren hablar conmigo? —preguntó, resignada.

Bernales tartamudeó unas palabras de condolencia que la mujer escuchó sin interés.

—No vi nada —dijo la viuda después de oír el resumen que Bernales hizo de la muerte del estafeta—. Me avisó una amiga, fui para la calle y con la ayuda de un vecino llevamos a Gabriel a la Posta.

—Se iban de vacaciones —dije.

La mujer reprimió un sollozo y me quedó viendo sin saber qué decir.

—¿Es verdad que a su marido lo habían obligado a tomar vacaciones? —pregunté.

—¿De dónde sacó eso?

—Eso nos dijo la señora que nos trajo hasta aquí —agregué.

—La Chelita habla por hablar. El Gabriel tuvo un mal rato en la oficina, se choreó y pidió los días de vacaciones que le debían desde el verano.

—¿Le contó algo de eso su marido?

—Parece que tuvo un lío con una de las jefas. La Adelina Dupré. El Gabriel le llevó unos papeles y la mujer los recibió de mala gana. Parece que la señora es de genio atravesado.

—¿Eso fue todo? —preguntó Bernales.

—Todo lo que me contó el Gabriel —dijo la mujer, antes de mirar hacia el ataúd y reprimir un nuevo llanto.

Miré a Bernales y le indiqué la salida.

—Gracias por la información —dijo Bernales—. Que Dios le dé resignación y fuerza.

—¿Van a pillar al que lo hizo? —preguntó la mujer.

—Tal vez —dije y me detuve junto a la puerta de la capilla a mirar por última vez a la mujer y sus acompañantes. Las moscas comenzaban a revolotear encima del féretro y el pesado olor de las flores muertas comenzaba a imponerse en el aire.

—¿Qué es esa mierda de resignación y fuerza que le dijiste a la mujer? —pregunté cuando estuvimos nuevamente en el auto de Bernales.

—Es lo que se acostumbra.

Recordé el pesado aire de la capilla y dije adiós a las ruinosas casas de la población.

—«Contemplé todo lo que pasa bajo el sol y hallé que todo es vano y un correr tras el viento. Lo torcido no se puede enderezar, ni se puede reemplazar todo lo deficiente» —murmuré.

—¿Y eso?

—Significa que necesito una copa y alguien que me acompañe a beberla.

2

Bebimos unas cervezas en el bar *Central* de la calle San Pablo, un lugar iluminado y con mesas cubiertas con manteles de hule que le daban colorido y cierto aire familiar. Sin nada que lo justificara, recordé la pensión en Punta Arenas donde viví mientras investigaba la muerte de un amigo abogado. Era una casona de madera desde la que cada navidad una mujer me enviaba una tarjeta y preguntaba por mi vuelta a las calles nevadas, con sus ñirres retorcidos y el viento que convertía a las personas en frágiles molinetes de papel. A veces pensaba en ella y recomponía su imagen en el brutal espejo de lo imposible. Las huellas, buenas o malas, estaban en mi interior y aunque ya no preguntaba por el sentido de las cosas, reconocía las muescas que el paso de los años había grabado en mí.

Bernales se entretuvo en mirar la espuma de la cerveza mientras de la calle llegaba el rumor del barrio con su habitual concierto de gritos, bocinas y chirridos de autos.

—Al comienzo el trabajo era interesante, novedoso. Se ajustaba a la imagen que tenía mientras estaba en la escuela —dijo Bernales—. Después, en cuanto perdí la inocencia y aprendí las rutinas cotidianas, conocí su lado oscuro. Las presiones, influencias, negociados. Cometí el error de hablar más de la cuenta y de tratar de llegar al fondo de las cosas. Eso no fue del agrado de mis colegas, en especial de los más viejos que ya tienen sus mañas. Los tipos comenzaron a ir donde el jefe con dimes y diretes, por ahí cometí algunos errores, y el viejo comenzó a golpear sobre el escritorio. Hoy supe que en tres semanas me destinan al archivo fotográfico.

—El entusiasmo viene y se va —dije, sorprendido por la repentina confesión de Bernales.

—Lo que viene es la nada. Un trabajo de escritorio para que me apolille y termine por renunciar.

—Aún estás en edad para cambiar de rumbo.

—No quiero renunciar.

—Renunciar exige más valentía de lo que se cree.

—¿Qué aconseja, Heredia?

—Reúne información de interés y grita. No es fácil, pero al menos sentirás que cumples contigo mismo. Además, en una de esas te conviertes en estrella de la televisión.

Bernales pareció no escucharme. Bebió un sorbo de cerveza y se quedó viendo hacia la calle.

—La vida no la venden barata. ¿Es justo, eso? —preguntó luego de un rato.

—Hace años que la justicia dejó de ser una vara de medida. Existe en los libros, se habla de ella en los discursos, pero nada más. Frases huecas. El circo prende sus luces, pero los payasos siguen siendo pobres. Este país no tiene arreglo porque cambió las utopías por la fanfarria, la verdad por los acomodos, la lucha por el consenso. Nos vendimos o nos vendieron.

Bernales me observó con evidente desgano. Pedí otra cerveza y guardé silencio durante los siguientes quince minutos.

3

Al otro día fuimos al despacho de Adelina Dupré. El policía mostró su placa a los funcionarios que controlaban la entrada al edificio de la Contraloría y sin mediar anotación alguna, continuamos avanzando hasta los ascensores que llevaban a las oficinas de los pisos superiores.

Bernales se presentó a una secretaria que al momento de llegar nosotros, cotorreaba por el teléfono sin ganas de ser interrumpida. De mala gana, la mujer anotó el nombre de Bernales en una libretita y se dirigió hacia una puerta que conducía a la oficina de Adelina Dupré.

La abogada nos hizo esperar una hora antes de recibirnos en una estancia adornada con aralias y gomeros que parecían emerger de la mullida alfombra verde musgo que cubría el piso.

Cercana a los cuarenta años, baja de estatura, presentaba un extraño aspecto ratonil. Llevaba puesto un traje de dos piezas color granate y una blusa de seda amarilla. Su boca grande acentuaba una fealdad de liceana que trataba de disimular con los colgajos metálicos que pendían de sus orejas y cuello. Poca veces había estado frente a una mujer tan prematuramente fea y hosca. Reconocí en su mirada el reflejo de una persona habituada a imponer condiciones, y por ello me propuse medir mis palabras y conseguir que la entrevista durara el tiempo necesario para hacer las preguntas que tenía en mente.

Pocas cosas son más peligrosas que una mujer fea con poder. Lo usan para vengarse de la vida y de los hombres que pasan por su lado sin prestarles atención. Se hacen rodear de tipos serviles, se apoyan en conocimientos que adquieren mientras otras mujeres salen a bailar y terminan convertidas en máquinas de repetir citas legales, fórmulas económicas o discursos políticos.

Adelina Dupré estaba condicionada para vengarse y esa mañana, las víctimas fuimos el par de intrusos que insistimos con su secretaria hasta que no tuvo otra alternativa que recibirnos.

—¿En qué puedo atenderlos? —preguntó, olisqueando a su alrededor como un zorrillo.

Bernales estaba impresionado con el decorado de la oficina e intuí que en ese momento pensaba en dar una disculpa y retirarse con la cola entre las piernas, como seguramente la abogada esperaba que ocurriera.

—Supongo que sabe que ha habido varias muertes a su alrededor —dije, acentuando la gravedad de cada palabra.

La mención de la muerte en plural la descompuso. En un gesto nervioso, miró de reojo sus pechos planos y la correcta ubicación del collar que le colgaba del cuello.

—¿Varios muertos dice usted? —preguntó, dejando caer el usted como una pedrada.

—Gordon y Morales, el estafeta —agregué.

—Había olvidado a ese hombre. Tengo entendido que fue un accidente. En cuanto a lo de Gordon, lo hemos lamentado mucho.

—¿Quiénes?

—Todos los que trabajábamos con él. Y yo en particular. Era un buen profesional, meticuloso, colaborador, eficiente…

—Parece la descripción de una máquina —dije.

—Primera y última impertinencia, señor...

—Heredia.

—Heredia —repitió, como si escupiera.

135

—Quisiéramos que nos hablara de los últimos trabajos de Gordon —intervino Bernales.

—Ustedes están al tanto de esas cosas. Sé que han entrevistado a varias secretarias.

—Nos interesa su versión —insistió el policía.

—Nuestra unidad desarrolla un programa anual de auditorías a los distintos servicios y empresas públicas. También fiscalizamos la gestión de los municipios. Es un programa riguroso que se complementa con los reclamos que hacen los particulares o las investigaciones que piden los parlamentarios o el Gobierno.

—¿Qué trabajos realizaba Gordon?

—Para decirlo de un modo que usted entienda, Gordon era nuestro fiscalizador estrella. No tenía asignados ministerios ni reparticiones específicas, sino que trabajaba con aquellos temas que se consideraban más complejos. Su doble condición de abogado y auditor le daba competencia para confeccionar los informes más difíciles. Siempre trabajaba con cinco o seis casos a la vez. Era muy eficiente —dijo la mujer y enseguida consultó su reloj para dar a entender que el tiempo de nuestra reunión era breve.

—¿En qué temas trabajaba antes de morir?

—No los recuerdo todos. Municipalidad de Ñuñoa y algo relacionado con la Tesorería.

—¿Y Morales? —pregunté.

—¿Morales?

—El estafeta.

—No suelo preocuparme de las cosas que hacen los auxiliares. Hay otras personas que se encargan de controlar sus asistencias o el tiempo que emplean en almorzar.

Intuí que mentía, pero no dije nada.

—Nos dijeron que había discutido con usted —añadí.

La abogada se agitó en la butaca y volvió a examinar de reojo el paisaje desolado de sus pechos. Por primera vez desde el inicio de la entrevista noté que se ponía nerviosa, como si hubieran estado a punto de seducirla encima del escritorio.

—Discusión no es la palabra precisa. Por norma no discuto con los subordinados. Doy órdenes y espero que se cumplan en los plazos que asigno. En cuanto a lo que usted llama discusión, es muy simple de explicar. Morales trajo algunos papeles cuando la secretaria no estaba. Oí sus reclamos y salí a ver qué ocurría. Le ordené que dejara los informes en el escritorio y que él mismo timbrara el libro de despachos.

—Morales salió de la oficina de Gordon con tres informes y en el libro de ingresos que lleva su secretaria sólo dos aparecen registrados. ¿Tiene idea de lo que pasó con el tercero? —pregunté, sosteniendo su mirada.

—No ando preocupada de esos detalles.

—Falta el documento relacionado con el proyecto Gaschil —insistí.

—Los estafetas suelen ser descuidados.

—Su concepto del género humano es muy alto —dije, irónico.

—Es todo lo que puedo decir —contestó la mujer—. Ahora, les agradecería que hicieran una última pregunta antes de irse.

—¿Qué nos puede decir de Gaschil? —atacó Bernales.

—Es un asunto confidencial. Para revelar sus detalles necesitaría recibir instrucciones de mis superiores o de los tribunales —respondió y se quedó viéndome fijo, dispuesta a no decir una palabra más.

Resistí la mirada de la mujer unos segundos y luego decidí concederle una pequeña victoria hasta la próxima vez que nos enfrentáramos.

4

—La Dupré volvió a cerrar el círculo —dijo Bernales mientras endulzaba el cortado que había pedido en el *Café Haití*, indiferente a las chicas que iban y venían con las tazas, en una suerte de danza erótica que era seguida de reojo por la mayoría de los clientes—. Mienta o diga la verdad respecto del informe, da lo mismo. Nada asegura que esos papeles destapen algo interesante. Tenemos un par de suposiciones y un informe que sale del piso octavo y se pierde antes de llegar al noveno. ¿A usted se le ocurre algo, Heredia?

—Tengo algunas intuiciones y para comprobarlas necesito conocer el informe de Gordon. Tal vez sea conveniente insistir con la secretaria. Pedirle que busque y rebusque. Jugar al cuento sentimental. Su jefe, su estafeta. Si tiene algo más que sangre en el corazón, es posible que se conmueva. Mañana hablaré con ella. También pretendo ubicar a las personas que se reunieron con Gordon antes que muriera. Pero todo eso lo haré mañana. Hoy sólo quiero descansar, beber una taza de té y leer una novela.

—¿Té? ¿Novela? ¿Está hablando en serio? No cuadra con la idea que se tiene de usted.

—Ni yo ando por ahí hablando de cada cosa que hago.

—Usted tiene cierta fama, Heredia.

—Que no viene al caso —dije y luego de una pausa para terminar el capuchino que bebía, agregué—: Deberías investigar el atropello de Morales. Es posible que alguien haya retenido una seña del auto y su conductor. Unas vueltas por el barrio pueden ser de utilidad.

Me despedí del policía y caminé por el Paseo Ahumada hasta encontrar una central telefónica. Marqué el número de Griseta y pregunté por ella al hombre que contestó la llamada. La voz, que parecía la de un anciano, me informó que ella no llegaba a la pensión hasta pasadas las nueve de la noche. Le pedí que anotara mi nombre y después golpeé el fono contra la cabina.

Caminé sin rumbo hasta quedar frente a las carteleras del *Cine York* y los pechos rebosantes de una rubia tan falsa como un billete de quince mil pesos. A mi lado, un tipo se toqueteó la entrepierna, sacó unas monedas de su chaqueta y buscó la boletería. Imaginé una sala oscura y dentro de ella a una centena de tipos devorando con los ojos a unas cuantas muñecas de celuloide. Decidí que no era el lugar de mis sueños; caminé hasta llegar a la Plaza de Armas y terminé en el *Esmeralda*, donde comí un sandwich de mechada y bebí un vaso de vino blanco que tuvo el efecto de recordarme el cansancio y las ganas de estar en mi departamento. A las nueve en punto de la noche volví a llamar, pero Griseta aún no había llegado. Deseaba verla y decirle por última vez que la amaba. A las nueve y quince hice otro intento y la suerte siguió siendo esquiva. Apuré el vaso de vino y tomé la ruta del regreso.

Pero la noche reserva sorpresas. Lo supe al entrar en el departamento y percibir un intenso aroma a perfume. Empuñé la pistola y avancé por el pasillo que conducía a las piezas interiores. Oí un murmullo y luego se hizo un silencio interrumpido segundos más tarde por el paso de Simenon entre mis piernas. Eso me hizo pensar que la presencia de mi pistola era inútil pero, de todos modos, entré al dormitorio con ella apuntando al infinito.

La ampolleta que colgaba del cielo raso había sido cubierta con un papel de celofán azul y sobre el velador se consumía un trozo rectangular de incienso. La cama estaba descubierta y en un rincón de la pieza reconocí a Madame Zara. Un vestido rojo la hacía verse más voluminosa de lo que realmente era. Se había pintado los labios de un verde intenso y sus cejas, extendidas hacia los costados, se confundían con sus cabellos.

Como el protagonista de una historia equivocada, retrocedí dos pasos, siempre con la pistola entre mis manos.

—¿Acostumbras recibir a tus visitas con ese artefacto en las manos? —preguntó.

—Sólo cuando llegan sin que las invite.

—Pensé que te agradaría la sorpresa pero no te ves muy contento —dijo—. Creí que la otra noche se había iniciado algo entre los dos.

—Al parecer no escuchamos la misma música. Estoy cansado y con ganas de estar solo.

—Me necesitas —dijo, al tiempo que cubría sus hombros con una pañoleta de seda negra.

—Podría decir dos o tres cosas groseras, pero no quiero. La salida la conoce y usted está ya grandecita como para volver sola a su casa —dije, categórico, mientras veía avanzar hacia mí el voluminoso cuerpo de la adivina.

—Su crédito se agotó, señor Heredia. La próxima vez que quiera conversar tendrá que pedir hora —agregó ella antes de salir del dormitorio.

Arranqué de un manotazo el celofán que cubría la ampolleta y a mis espaldas escuché el ruido que hacía la adivina al cerrar la puerta. Dejé la pistola encima de la cama, desanudé mi corbata y me tendí de bruces en el lecho.

5

Soñé que recorría una habitación en penumbras
y que por sobre mi cabeza revoloteaban unos cuerpos
alados. Sus alas rozaban mi frente y se alejaban dándo-
me una breve tregua para limpiar el sudor blanquizco
que cubría mi rostro. Desperté varias veces y al amanecer me adormecí hasta que poco antes de la diez de
la mañana oí golpear a la puerta del departamento. Abrí
la puerta y me encontré frente al corpachón de Ballinger. El gringo sonrió amistoso y sin esperar una invitación entró a la oficina. Vestía pantalones de mezclilla,
camisa afranelada a cuadros y una casaca de fotógrafo
llena de minúsculos bolsillos. Se veía alegre y al verlo
de pie junto al escritorio, pensé en un niño explorador
agrandado, listo para realizar su primera excursión
veraniega.

—Yo debería saber que los detectives duermen
hasta tarde —dijo al darse cuenta de mi aspecto somnoliento—. De seguro estuviste toda la noche junto a
un gran caño de vino.

—Caña. Se dice, caña.

—Eso. Caño.

—¡Cómo sea! Ya era hora de levantarme —dije,
indicándole una silla.

—Necesitas una ducha y un buen desayuno —agregó Ballinger, mientras se sentaba y ponía dos Paulaner
sobre la cubierta del escritorio.

—¿Cómo diste con la oficina? —pregunté sin considerar su comentario.

—La otra tarde me diste una tarjeta de visitas.

¿No recuerdas? «Heredia y Asociado» dice la tarjeta. ¿Quién es el asociado?

—Sólo recuerdo las cataratas de cervezas que bebimos. En cuanto al asociado, se llama Simenon y es mi gato. Las tarjetas las mandó a imprimir un escritor que dice ser mi biógrafo, o algo así.

—Traje más cervezas —dijo, apuntando las latas de Paulaner.

—¡Sácalas de mi vista!

—Vengo a buscarte para ir al encuentro ecológico. Ahí encontraremos a Bórquez, el amigo del que te hablé el otro día. Tú no te preocupes de nada, te llevo y te traigo en mi vehículo.

—Necesito diez minutos para resucitar en forma.

—Beberé una cerveza mientras espero.

Dejé al gringo en la oficina y me entregué a una ducha fría que terminó con los últimos vestigios de la pesadilla. Media hora después estábamos frente al jeep de Ballinger que éste había estacionado junto al quiosco de Anselmo. El suplementero daba vuelta alrededor del vehículo, admirando sus formas, como si se hubiera tratado de una nave espacial.

—Bonito, don —dijo, entusiasmado—. Gran cabina, doble tracción, cambios automáticos. ¡Una maravilla!

Le presenté a Ballinger y éste aprisionó la mano derecha de Anselmo entre las suyas. El suplementero contuvo una mueca de dolor y luego, libre de la fuerza del gringo, buscó apoyo en una de las paredes del quiosco.

—¿Lo encontró en los Gladiadores Americanos, o es un jubilado de los Titanes del Ring? —preguntó.

—Tenemos que irnos de inmediato o llegaremos tarde —dijo Ballinger, sin entender la pregunta de Anselmo.

—Quiero hacer unos encargos a mi amigo —dije.

—¿Qué quiere ahora? —preguntó Anselmo.

—Dos cosas. Primero, compra algunas flores y se las llevas a Madame Zara.

—Carajo, don, en qué lío se está metiendo.

—Fui grosero con ella y no quiero que caigan sobre mi cabeza las siete plagas de Egipto.

—¿No cree que está madurona y grandota? ¿Quién como usted, don? Tiene guata de chancho, lo que encuentra se lo embucha.

—Tu mente de cloaca va muy de prisa, Anselmo. Compra flores, entrégaselas a esa mujer y no pienses en nada más.

—¡Vamos! —apuró Ballinger, acomodándose tras el volante del jeep.

—Lo segundo, don. No se olvide del otro encargo —agregó Anselmo.

—Encima del escritorio dejé unos billetes y *La Cuarta* con seis marcas en la página hípica. Apuesta a cada una de ellas.

—Tomaré los morlacos y los invertiré sabiamente.

—¡En los caballos indicados!

—¿Por qué no me deja probar mis tincadas? Mi sistema de apuestas suele ser más certero que el suyo, don.

Anselmo se quedó sin respuesta. Subí al jeep y de inmediato Ballinger lo hizo avanzar con más velocidad de la aconsejable. Tomamos la Panamericana y después de una vuelta interminable enfilamos hacia el que era nuestro destino. Pasado el mediodía llegamos a una parcela en los faldeos cordilleranos, en la que se encontraban estacionados una veintena de vehículos. La cercanía de los cerros impresionaba y tras ellos crecía un intenso cielo azul. Bajamos del jeep y recorrimos un sendero de tierra roja hasta llegar junto a un grupo de hombres y mujeres congregados a los pies de una gigantesca araucaria.

—Allá está Bórquez —dijo Ballinger, indicando a un hombre vestido de blanco, cuyos cabellos largos estaban unidos a una barba canosa que le daba aspecto de santón o hippie de los años sesenta. A su lado, un hombre gordo conversaba con una rubia de formas atléticas.

—La mujer es Vicky, la secretaria del grupo —agregó Ballinger—. El gordo se llama Homero y es un sujeto algo parlanchín.

El comentario de Ballinger cobró realidad cuando el aludido tomó un megáfono y comenzó a predicar a la audiencia, compuesta en su mayoría por hombres y mujeres que lucían bronceados, como si hubieran acabado de llegar de la playa. Una docena de niños revoloteaba como abejas en carreras que iban desde sus padres hasta unos árboles cercanos. Encendí un cigarrillo y una morena de expresión belicosa me hizo una seña, ordenándome apagar el tabaco. Miré a Ballinger y éste se limitó a sonreír. Tiré el cigarrillo y lo aplasté con el pie derecho. La morena esbozó una sonrisa y enseguida concentró su atención en el discurso de Homero.

—Tiempo de esparcir piedras y tiempo de juntar piedras —comenzó a decir el predicador—. Es ley divina que el hombre luche por lo que le pertenece y le da vida. Sobre todo hoy, cuando los mercaderes del templo quieren destruir el mundo.

—Creo que necesito una de tus Paulaner —dije a Ballinger.

—Voy por ella al jeep —respondió de inmediato el gringo, feliz de tener una excusa para embuchar más cerveza.

—Las copas de ira que anuncia el Apocalipsis de San Juan han sido derramadas por la tierra —continuó diciendo el gordo—. Los siete ángeles están haciendo su trabajo. Recuerden la palabra de Dios. El primero, derramó su copa sobre la tierra, y vino una úlcera maligna y pestilente sobre los hombres que tenían la marca de la bestia. El segundo derramó su copa sobre el mar y éste se convirtió en sangre como de muerto. El tercer ángel derramó su copa sobre los ríos y las fuentes de las aguas se convirtieron en sangre. El cuarto ángel derramó su copa sobre el sol, al cual fue dado quemar a los hombres con fuego. El quinto derramó su copa sobre el trono de la bestia y su reino se cubrió de tinieblas. El sexto ángel derramó su copa sobre los ríos y el agua de éstos se secó. El séptimo ángel derramó su copa por el aire. Hubo relámpagos y un gran temblor de tierra.

—Aquí está la cerveza —escuché decir a Ballinger mientras me pasaba una lata.

—¿Cómo soportan a Homerito? —pregunté.

—A muchos del grupo les gusta. Sienten que fe y naturaleza hacen una buena unión —respondió Ballinger.

—En la Biblia está el anticipo de lo que hoy hace el hombre con la naturaleza —siguió declamando Homero—. El petróleo contamina los mares y las playas, las industrias arrojan sus desechos en los ríos, los agentes químicos rompen la capa de ozono, el esmog cubre las ciudades y las fuerzas nucleares terminarán por destruir el mundo.

Me alejé unos pasos hasta quedar bajo la sombra de un árbol, desde el cual la prédica de Homero se convirtió en un murmullo, perdido entre los trinos de los pájaros y el ruido de la brisa que agitaba las hojas de los castaños, eucaliptos y álamos que había en el terreno. Ballinger me siguió y cuando estuvo a mi lado abrió su cerveza.

—¿Desde cuándo asistes a estas reuniones? —pregunté.

—Desde que llegamos con Verónica a Chile. Ella es una de las fundadoras del grupo. Antes, en mi país, yo participaba en acciones similares. Pero éramos gente más decidida. Sabotaje a empresas que contaminan, asaltos a barcos balleneros, protestas en las calles, apedreo de buses que infectan el aire, bombas en vertederos, miles de cartas a los periódicos. Una vez propuse a unos chilenos romper las redes de las salmoneras en Chiloé. Yo pensaba llegar en lancha y con equipo para nadar bajo el agua. Los salmones serían libres, pero no me hicieron caso. ¡Faltan cojones!

—Tiempo de esparcir piedras y tiempo de tirar piedras.

—Homero dijo juntar, no tirar —rectificó Ballinger.

—Juntar las piedras es una manera de empezar.

Ballinger sonrió y me indicó el escenario en el cual se recortaba ahora la blanca silueta de Bórquez.

—¡Acerquémonos! —propuso el gringo.

—Agotaremos las instancias legales —decía Bórquez con un tono pausado y seguro—. Las entrevistas con los alcaldes y en los ministerios. Intensificaremos nuestra acción con la prensa y si el proyecto no cambia, emplearemos otras formas de lucha para defender nuestras tierras. Dicen que en dos meses iniciarán las excavaciones. En dos meses más instalaremos un campamento para impedir el paso de las máquinas. Y para ello, es preciso que nos preparemos y estemos unidos en una misma línea de acción. Hemos sabido que han querido sobornar a varios de nuestros vecinos. Las ofertas son atractivas, pero no luchamos sólo por nuestras tierras, sino que por lograr una mayor conciencia ecológica en la ciudadanía. Defendemos nuestras tierras pero también a los pobladores amenazados con la instalación de nuevos vertederos de basura cerca de sus casas, a los pescadores artesanales que son afectados por consorcios pesqueros del exterior. Defendemos el bosque nativo de la Isla Tierra del Fuego que pretenden astillar, como antes lo han hecho en Chiloé; a los habitantes de balnearios a los que harán llegar los residuos producidos por las plantas de celulosas; a la gente de Santiago que cada día respira menos aire y más mugre. Defendemos nuestra idea de una vida más sana y de mantener una relación más armónica con la naturaleza. Esa es la causa que nos une.

Bórquez alzó sus manos y saludó con la cabeza mientras se escuchaban unos aplausos espontáneos. Cuando el líder ecologista bajó del escenario, Ballinger se acercó a él. Los vi saludarse y luego caminar hacia mí. El ecologista tenía un aspecto reposado. Sus cabellos estaban unidos en una larga cola y en sus ojos reconocí cierta transparencia que me hizo pensar que obraba de buena fe. Hablaba en voz baja, como si el esfuerzo de su breve discurso lo hubiera agotado. En sus manos portaba una carpeta y constantemente miraba su reloj.

—Quiero saber de qué se trata el proyecto Gaschil —dije a Bórquez, después que Ballinger nos presentara y que yo le hiciera un rápido resumen de lo sucedido con Gordon.

El ecologista escuchó con interés, asintiendo con un leve movimiento de cabeza cada vez que oía algo que le llamaba particularmente la atención.

—¿Usted no lee la prensa? —preguntó, y retomando el tono empleado en el discurso, agregó—: El proyecto consiste en la construcción de un gasoducto para traer gas desde la Argentina. Es el segundo intento que se hace. Cuatro años atrás falló el primero porque en Buenos Aires salieron a relucir las huellas de un soborno. La información llegó a la prensa y el propio Menem debió posponer el proyecto. Ahora han insistido en forma más soterrada. Hasta hace unos meses estábamos en la más completa ignorancia. Luego, algo se filtró y a través de nuestro trabajo conseguimos que dieran luz al asunto. Y la verdad es que nada nos garantiza que el nuevo proyecto sea mejor que el anterior o que no existan presiones indebidas de parte de los constructores. Además, tenemos ciertas dudas de orden técnico. El proyecto considera un trazado por sectores que tienen una conformación geológica insegura. Terrenos lodosos, rocas, derrumbes.

Continuó con otros detalles técnicos y al cabo de un rato mi cabeza estaba llena de cifras, nombres y otros datos que sólo consiguieron confundirme.

—La idea traerá beneficios para los consumidores de gas —concluyó Bórquez—. Pero, en el proyecto hay un trasfondo turbio. Demasiada prisa en querer aprobarlo y demasiada porfía en no escuchar los reparos. Lo que pedimos, basados en antecedentes técnicos, es que cambien el trazado del gasoducto y que en su construcción se adopten medidas de seguridad mejores a las estipuladas en la propuesta de Gaschil. El trazado debe pasar lejos de los poblados. Así, se evitarán desgracias en caso de filtraciones o roturas, y sus características estarán de acuerdo con las condiciones sísmicas de la zona. Los ductos deben ser instalados a mayor profundidad y hechos con materiales resisten-

147

tes. Sabemos que la empresa que lo construirá ha hecho trabajos en Canadá y Estados Unidos, y que ha habido problemas a raíz de la mala calidad del trabajo.

—Hacer otro trazado tendrá mayores costos —interrumpí.

—Desde luego. Pero un costo que se puede asumir si es que dejan de gastar dineros en publicidad, en relaciones públicas o en sensibilizar a los técnicos del gobierno.

—¿Está hablando de coimas?

—Un soborno puede tener muchas características.

—Podría tocar a gente de la Contraloría General de la República.

—El dinero fácil siempre resulta atractivo y la Contraloría tiene algo que decir respecto a las características del proyecto en sus aspectos legales y técnicos —agregó Bórquez, luego de insinuar que debía retirarse—. No quisiera ser mal pensado ni acusar a nadie sin pruebas concretas. Simplemente digo que el manejo del proyecto no ha sido el adecuado.

—¿De parte de quién?

—El Gobierno, las comisiones ministeriales del medio ambiente, de los grupos ecologistas, y desde luego, de la Consultora Benex que es la encargada de su formulación y desarrollo.

—¿Consultora Benex? —pregunté recordando las entrevistas registradas en la agenda de Gordon.

—Es una empresa contratada por los inversionistas del proyecto. Puede conseguir su dirección en la guía de teléfonos y si quiere más antecedentes, vaya a mi oficina. Ahora debo asistir a otra reunión y ya estoy atrasado.

—¿A tu casa o a la mía? —preguntó Ballinger una vez que estuvimos de nuevo dentro del jeep, de regreso al centro de Santiago.

—Tengo una cita —mentí.

Deseaba conservar la estabilidad de mis pocas ideas y sobre todo, pensar en la información que me había proporcionado Bórquez.

—No más cerveza por hoy —dijo Ballinger con desconsuelo.

—Nunca es bueno romper una cita con una mujer.

—Cierto —afirmó Ballinger.

—La conversación con Bórquez fue interesante —dije al llegar a la calle Aillavillú. Eran las tres de la tarde y un enano dentro de mi estómago pedía a gritos su comida.

—Para mí resulta muy entretenido ser amigo de un detective —contestó el gringo, sonriendo. Luego puso de nuevo en marcha su vehículo y se perdió al doblar por la calle Bandera.

Cuando me disponía a entrar al edificio, escuché el llamado de Anselmo.

—Don Heredia —gritó.

Traía en sus manos un ramo de violetas y lo agitaba como un pañuelo en la hora de una despedida.

—Se chingó su encargo, don. La madame esa no quiere saber nada de usted ni de la santa mujer que lo parió. Le entregué las flores y cinco minutos después las vi caer desde el balcón. Las recogí y armé el ramo lo mejorcito que pude. ¿Qué quiere que haga con ellas?

—Insiste, Anselmo, insiste.

—¿Y si se enoja y me lanza una maldición? Bruja, gitana, o lo que sea, capaz que me fatalice.

—Agrégale una caja de chocolate e insiste.

—¿Y por qué no las lleva usted si está tan entusiasmado?

—No hay tal entusiasmo.

—¿Entonces?

Moví los hombros, caminé unos metros y cuando estaba por ingresar al edificio, cambié de idea.

—¿Qué se le olvidó, don?

—Sube de nuevo con las malditas flores y después me cuentas cómo te fue. Voy a comer un sándwich a *La Piojera*.

—Que jode, don. Y yo, el jilote que le hace caso en todo. Ni huacho mío que fuera.

6

Atrás, lentos y mustios, sobrevivían los recuerdos de un domingo tedioso. Horas que no habían significado otra cosa que saberme vivo, aunque más allá de la ventana del departamento no existía ninguna boca que besar ni nadie a quien hablar de aquellos recuerdos que se atropellaban en mi memoria, como si el pasado jugara cada una de sus cartas a favor de la nostalgia y de las huellas grabadas en mis ojos. Recuerdos. Historias sin importancia, cotidianas, igual al canto de los gallos o al hervor del agua en las mañanas de invierno. Recuerdos. El Mapocho corría a lo lejos. Pegado a un vidrio, como niño al que aturde la soledad, observé su cauce miserable y desistí de salir a recorrer las calles con la vana esperanza de reencontrar a Griseta, sola, abierta al fuego de una caricia, como antes, cuando sabíamos que existía un tiempo para los dos, nacido de manera simple y sorpresiva. Desde las miradas al deseo; de la ignorancia al saber del uno en otro, amantes y fuertes, mientras el dolor de la calle no golpeara a nuestra puerta.

Y sin embargo, esa tarde de domingo y hastío, mi rostro se había fundido en el paisaje de los espejos, en los pliegues de sus arrugas que avanzaban pacientes y definitivas; en el café gastado de mis ojos y en las primeras canas que anunciaban un fin de tren cansado. Espejos que reflejaban el inexplicable instinto de vivir; la lucha de una sonrisa irónica, mezquina. El temblor de unos labios que iban por las calles, apretados y secos, murmurando las frases desvaídas de un hombre, remedo de dios y de quijote que, sin fe ni entusiasmo, arrastraba sus pies por las veredas de una ciudad que destruía su memoria. Una ciudad que amaba por su geografía de baches y derrumbes, de rincones y esquinas donde la felicidad era una sombra. El absurdo de un teléfono mudo y una cita de Juan Carlos Onetti rescatada desde el azar de la memoria: «lo malo no está en que la vida promete cosas que nunca nos dará; lo malo es que siempre las da y deja de darlas».

Las oficinas de la Consultora Benex estaban en el séptimo piso de uno de los tantos edificios que crecen en Providencia y alrededores, contaminando el paisaje con sus fisonomías de cristales y aluminio. Temprano, después de espantar la pesadilla dominguera con dos tazas de café, consulté la guía telefónica y di alas al Chevy que con inusitado entusiasmo, avanzó por Plaza Italia hacia arriba, rodeado de modelitos japoneses que le arriscaban la nariz cada vez que los sobrepasaba con su ronronear de gato mañoso.

La oficina tenía un aspecto sencillo. Paredes blancas, flores artificiales y algunos cuadros con reproducciones de escenas campestres. Lo único que llamaba la atención en el lugar, era la cabellera de una rubia que a simple vista hacia recordar a Lauren Bacall, en un viejo afiche de *Tener y no tener*.

—Soy corresponsal de una agencia de prensa argentina —comencé a mentir sin consideración por sus ojos verdes ni las finas líneas rojas de sus labios—. Estoy escribiendo un reportaje sobre las inversiones argentinas en Chile y necesito entrevistar a los señores Maspérez, Otero o Plaza. Nada complicado ni que les quite mucho tiempo.

—No creo que pueda ayudarlo, señor...

—Heredia. Estoy seguro que usted podría hacer grandes cosas por mí —dije, desplegando el doble filo de las palabras.

—Dicen que los periodistas no pierden el tiempo —contestó la rubia, siguiendo el juego—. Pero la verdad es que ésta no es la hora más adecuada.

—¿Existe una hora adecuada?

—Desde luego. El señor Maspérez llega siempre después de las once; el señor Plaza está ausente desde hace varios días. En cuanto al señor Otero, no estoy segura que pueda recibirlo.

—El reportaje se publicará en Buenos Aires y también en dos importantes revistas japonesas. O sea, y para decirlo de un modo claro, estoy ofreciendo publicidad gratis a la Consultora Benex. Yo que usted, lo pienso un poco y consulto con el jefe.

—Veré que dice el señor Otero —respondió la rubia.

La vi tomar un citófono y repetir mis mentiras acerca de la agencia de prensa y los japoneses.

—Tiene suerte. El señor Otero se interesó y le concederá una entrevista. Sólo diez minutos, porque después tiene una reunión. Trate de ajustarse a ese tiempo y evitará las rabietas del jefe.

—Gracias —dije—. Y por favor, mientras converso con Otero, no se vaya muy lejos. Puedo necesitar un poco de respiración boca a boca.

—Aquí estaré hasta las siete de la tarde —respondió, al tiempo que sonreía e indicaba una puerta a la izquierda de su escritorio.

Urbano Otero era un hombre joven, pálido y nervioso. Al hablar apartaba la vista de su interlocutor y gesticulaba como una marioneta descordinada, sin que sus palabras calzaran con el movimiento de su boca. Me ofreció una silla y antes de hablar se reclinó en su sillón ejecutivo.

—¿Qué desea saber, señor Heredia? Benex es una consultora líder en el análisis y desarrollo de proyectos energéticos. Petróleo, electricidad, gas metano.

—Lo sé, señor Otero. Por eso estoy aquí. Mi agencia tiene interés en el gasoducto Gaschil, de cual tengo entendido su empresa diseño el plan de inversión.

—Además de su propuesta y promoción —acotó Otero.

—¿La promoción considera conseguir el apoyo de las autoridades chilenas encargadas de aprobar el proyecto?

—Sensibilizarlas —agregó Otero, cauteloso. Toda iniciativa requiere conversaciones previas con las personas que se relacionan con ella. También con la prensa...

—Y los grupos ecológicos, supongo. Hay algunos que han expresado su disconformidad con el proyecto Gaschil.

—Grupos que desconocen los alcances del proyecto. Sus reparos son puros prejuicios. Nosotros garantizamos que la construcción del gasoducto se hará respetando las más estrictas normas de seguridad. Nuestros inversionistas tienen experiencia en el rubro.

—Tampoco parece haber acuerdo sobre los lugares por los que pasará el gasoducto.

—Un detalle menor. Lo importante es que la opinión pública tome conciencia de los beneficios que el proyecto traerá en los hogares, las empresas y el medio ambiente. El gas será barato y los ingresos para el Estado chileno serán significativos, en términos de impuestos y por el ahorro que hará al dejar de comprar gas a otros países más lejanos.

—Tan cuantiosos como los ingresos que recibirá su empresa.

—Nadie invierte para ganar bolitas de vidrio, señor Heredia.

Las preguntas en que había pensado al entrar en la oficina se acabaron, y miré a mi alrededor como esperando la llegada de una ayuda extraña. Otero se dio cuenta de mi vacilación y algo en su interior le hizo activar la alarma que lo protegía de los extraños.

—Sin libreta ni grabadora, es usted un periodista atípico, señor Heredia.

—Confío en la memoria.

—Sus preguntas han sido primarias —dijo al tiempo que sacaba un cigarrillo desde una pitillera.

Deduje que tenía cinco segundos para retomar la iniciativa y los aproveché.

—Ese trabajo que usted llama de sensibilización, ¿incluía conversar con Gordon?

—¿Gordon? —retrucó Otero, sin ocultar su sorpresa por el giro que tomaba la conversación.

—El auditor de la Contraloría General de la República, ¿lo recuerda?

—Sí, nos reunimos una vez. Evaluaba nuestra propuesta y quería información sobre sus aspectos técnicos.

—La agenda de Gordon registra tres reuniones con usted, una con el señor Maspérez, y otras tres con Plaza.

—¡Puede ser! Tengo muchas citas y no siempre las recuerdo —dijo Otero y se dio tiempo para encender su cigarrillo.

—¿Sabe que Gordon está muerto?

Otero vaciló y durante unos segundos pareció estudiar la respuesta que más le convenía.

—Lo leí en los diarios —dijo finalmente.

—En sus entrevistas, ¿notó algún comportamiento extraño en Gordon?

La pregunta activó definitivamente las defensas del abogado. Apachurró su cigarro en el cenicero que tenía sobre el escritorio y se puso de pie en actitud agresiva.

—Usted no es periodista —afirmó—. Usted…

—Eso no cambia nada. Quiero saber quién mató a Gordon.

—¿Me está involucrando en su muerte?

—Aún no.

—Váyase. O llamo a los guardias.

—Le estoy pidiendo su impresión acerca de una persona. Mal que mal, usted estuvo con él en sus últimos días.

—Sí —murmuró Otero y pareció considerar la conveniencia de moderar su rabia—. Pero no tengo nada que decir. Mis reuniones con Gordon fueron de trabajo y nunca hablamos de nada ajeno al proyecto.

—Sus preguntas, ¿a qué apuntaban?

155

—Dudas sobre cifras y especificaciones técnicas.

—¿Cree que su colega Maspérez tenga otra información?

—Lo dudo. Además, le aseguro que él no tiene la misma paciencia que la mía —agregó Otero, mientras caminaba hacia la puerta de la oficina con la evidente intención de despedirme.

—¿Y el señor Plaza?

El rostro de Otero se desfiguró con una extraña contracción de sus mejillas, y demoró un instante en recuperar la tranquilidad que deseaba aparentar.

—Plaza ya no está con nosotros. Tuvo algunas discrepancias con nuestro director y se alejó de la consultora.

—¿Sabe dónde ubicarlo?

—No.

—Es usted muy franco —le dije, irónico, justo cuando él abría la puerta de su oficina.

Salí y la puerta se cerró a mis espaldas. La secretaria sonrió desde su escritorio y por un minuto me dejé seducir por el paisaje de sus largas y hermosas piernas.

—¿Cómo le fue?

—Tengo material para llenar algunas buenas páginas.

—¡Qué bien! —exclamó la rubia con el entusiasmo de una colegiala.

—Otero me dijo que el señor Plaza ya no pertenece a la consultora —dije.

La linda sonrisa de la rubia se transformó en una mueca de asombro.

—No lo sabía —dijo. Su voz se escuchó como un hilillo de agua a punto de cortarse—. Me extraña. Sus cosas siguen en la oficina. No se ha llevado nada.

—Tal vez tenía prisa —dije y me sorprendí de mi propio comentario.

—¿Qué quiere decir?

—No lo sé. Quisiera su ayuda.

—Si puedo...

—¿Tiene los teléfonos de Plaza?

Sacó de su escritorio una carpeta y de ésta, una hoja que me entregó después de fotocopiar en una máquina que estaba en un rincón de la oficina, junto a una repisa con archivadores. En la hoja estaban escritos ocho números, y uno de ellos correspondía a un teléfono celular.

—Son todos los teléfonos que utiliza el señor Plaza. El primero es de su casa. Los demás corresponden a empresas y servicios públicos donde presta asesorías.

—¡Asesores! Los maestros en decir lo obvio con palabras difíciles. O como dice el chiste, tipos que cuando el jefe quiere llamar por teléfono, le pasan la agenda.

—No me corresponde juzgarlos.

—Claro que no. Si el señor Plaza viene a recoger sus cosas o llama para algo, ¿puede darle mis datos? —agregué, anotando mis señas en una hoja que encontré sobre el escritorio.

—Qué raro su nombre —dijo después de leer lo escrito en la tarjeta.

—No lo divulgue ni lo diga en voz alta.

—Podría llegar a acostumbrarme a él.

—Uno puede llegar a soportar cualquier cosa. Pero, por ahora es importante que Plaza me llame.

—Y yo, ¿puedo llamarlo?

—A la hora que quiera.

Antes de despedirme volví a pensar en Lauren Bacall. Las rubias eran un negocio que jamás dejaría de interesarme.

8

Durante una hora estuve llamando a los teléfonos de Plaza. El celular no respondía, y seis de los otros números eran de oficinas donde nadie supo decirme cuándo ni a qué hora se presentaría. Al tercer intento una mujer contestó el teléfono que correspondía a su departamento. Dijo ser la empleada que iba tres veces por semana a lavar la ropa y ordenar las habitaciones. Le pedí que me comunicara con la esposa del ejecutivo y algo extrañada, la mujer preguntó si acaso no sabía que su patrón era soltero.

—Las cosas del señor Plaza, ¿están en orden? —pregunté.

—Encontré menos camisas que lavar y la cama está hecha —dijo la mujer, y de pronto, al darse cuenta de que hablaba de más, preguntó—: ¿Quién es usted? ¿Por qué hace tantas preguntas?

Repetí la historia de la agencia de prensa y aunque no podría haber asegurado que la mujer la entendió, al menos sirvió para ahuyentar su desconfianza.

—El señor suele salir de Santiago por unos días. A veces me avisa, pero no es común que lo haga. Algunos son viajes de trabajo a Buenos Aires o Lima. En otras ocasiones viaja a una casa que tiene en Isla Negra, como a tres cuadras de la casona del poeta Neruda. Lo sé porque el año pasado me prestó la casa para que fuera unos días con mi madre y mi hija.

Le di el número de mi teléfono a la empleada para que se lo pasara a su patrón cuando éste regresa-

158

ra al departamento. Más no podía hacer, a pesar de que presentía que una vez más el círculo dejaba un cabo de luz a través del cual era posible vislumbrar su centro. Así se lo dije a Cambell cuando lo llamé para contarle los últimos detalles de la investigación, y por primera vez sentí que se interesaba verdaderamente en el tema.

—El olfato me dice que se trata de un pastel sabroso —dijo—. Es necesario obtener más antecedentes y en eso te voy a dar una mano. Tengo colegas periodistas que operan en la copucha política, y algunos de ellos saben más de lo que pueden expresar en los diarios o canales de televisión donde trabajan. Son de confianza. Los conozco desde la universidad y sé qué puntos calzan. Les daré unas señas y seguro que tendré buena cosecha. En este país está corriendo mucha información entre líneas, cosas que todo el mundo sabe y nadie dice. Mucha ingeniería política en torno al silencio y al cuidado de las espaldas. La verdad para unos pocos y el resto que se conforme con la publicidad del exitismo y la irrealidad.

—De todo eso no tengo la menor idea, Cambell.

—Vivimos en la realidad virtual que entregan los diarios. Siempre hay un tema banal para titular las primeras planas y los problemas reales son relegados a la miseria de cinco o seis líneas interiores.

Le dije a Cambell que lo mantendría al tanto de la investigación y terminé la llamada sin mayor trámite. Me propuse insistir con los teléfonos de Plaza, pero antes de marcar el primer número, Anselmo apareció en la oficina con más prisa que la habitual.

—Qué bueno que lo pillo, don. Me acaba de llamar la señora Rosa. Ayer en la tarde cogotearon a uno de sus viejitos. Iba saliendo de la casa de empeño cuando le dieron un empujón y adiós billetes…

—Había olvidado ese asunto.

—Malón. Voy a quedar como chaleco de mono con las viejas.

—Tal vez podríamos ir a dar una vuelta.

—Conmigo no cuente, don. Tengo que atender el negocio y después ir a la reunión del club.

—¿Qué club?

—Desde hace dos semanas estoy asistiendo a un club de tangos medio pituco que funciona al amparo del municipio. Van unas señoras que están bastante bien de cuero y de billete.

—¿Cuántos años tienes, Anselmo?

—Sesenta y seis. ¿Y eso qué importa? Quiero arrimarme a una buena costilla para no pasar otro invierno en pampa.

—No digas después que no te advertí. Y en cuanto a tus viejas, iré a dar una vuelta a la casa de empeño. ¿Conforme?

—De acuerdo —dijo Anselmo, y al tiempo que me pasaba unos billetes, agregó—: Tal vez esto le sirva, don. Media docena de Gabrielas. Sus tincadas estuvieron certeras como las flechas de Robin Hood.

La casa de empeño mostraba el mismo aspecto de la primera visita. Ancianos que hacían una larga fila a la espera de vender sus últimos objetos de valor, cajeros que tasaban las cosas con gestos mecánicos y una buena cantidad de afiches que alguien había impreso para promover el amor a los viejos. En un rincón de la sala de espera reconocí a la señora Rosa. Parecía estar enojada por algo y agitaba sus brazos de un lado a otro.

—El inútil amigo de Anselmito —dijo cuando me vio—. Pensé que usted haría un trabajo serio, y nada.

—Nunca dije que vendría a estar aquí de sol a sol.

—Y como si fuera poco, hoy se nos desvanecieron dos viejitos. He pasado la mañana consiguiendo ambulancias.

—Le acepto que hoy no sea un día bueno, pero apunte sus dardos hacia otra parte, abuelita.

—Yo no soy abuelita suya —respondió la señora Rosa—. Si así fuera le daría una buena fleta. Ubíquese cerca de la entrada y si veo al sospechoso le haré una seña.

Obedecí de mala gana y durante las dos horas siguientes observé a los viejos que entraban y salían, sin que nada alterara el orden del lugar. Por momentos tuve ganas de beber una cerveza en alguno de los bares del sector, pero la señora Rosa controlaba mis movimientos con severidad de sargento. Me resigné a esperar y cuando faltaban veinte minutos para el cierre del empeño, vi que la anciana indicaba a un sujeto bajo y delgado, que acababa de entrar al recinto. Vestía terno café y su aspecto era el de un funcionario capaz de engañar a los viejos, pero no a alguien acostumbrado a identificar malandrines a simple vista. Lo vi avanzar hasta las filas de ancianos y observar atentamente a los que se retiraban de la caja de pago. Estuvo en ese trabajo unos cinco minutos y luego se acercó a una vieja famélica. Me puse de pie y me acerqué al ratero justo en el momento en que ponía sus manos sobre la chauchera de la anciana.

—Suelta eso —le dije.

El lanza se dio vuelta, soltó la carterita y antes que pudiera evitarlo, me dio un codazo en el vientre. El golpe no me dolió, pero permitió al ratero zafarse y correr hacia la salida.

—Sígalo, no se quede parado —oí gritar a la señora Rosa.

Corrí hacia la salida y alcancé a ver al ratero que corría hacia la esquina. Sus pasos eran cortos pero rápidos y los míos tenían el peso de muchas horas de tragos y cigarrillos. Aún así, corrí lo suficiente como para alcanzar a estar a cincuenta metros del malandrín y verlo doblar por San Diego. Luego su figura se extravió entre los quioscos que vendían chucherías chinas a la entrada de una galería que unía las calles San Diego y Arturo Prat.

Cuando comprendí que mi esfuerzo era vano, rehice mis pasos y busqué a la señora Rosa.

—Escapó —le dije, controlando mi respiración entrecortada.

—Al menos evitó un robo —dijo la anciana.

Descansé unos minutos y cuando me sentí de nuevo con fuerzas, salí a la calle sin decir nada a la señora Rosa. Frente al local había media docena de vendedores ambulantes de galletas, hierbas y baratijas plásticas. Me acerqué a uno de ellos y le pregunté si había visto al lanza. Negó con la cabeza y de reojo observó a sus otros compañeros de ventas. Tampoco ninguno de ellos dijo nada. Después, y cuando me disponía a irme, una viejecita que pedía limosna sentada en la acerca, me tironeó de los pantalones.

—El Pitico —dijo.

—¿Quién? —pregunté acercándome a la mujer que vestía un abrigo raído y tenía sus piernas cubiertas con varias vendas sucias.

—A veces para en la cité donde yo vivo. Ahí tiene a su tía, una roñosa que le ayuda a reducir los robos.

—¿Cuál es su nombre, señora?

—Donde vivo nadie se preocupa por los nombres y los apellidos. Yo me llamo Francisca, pero todos me dicen la «Vieja de los huesos», porque siempre paso a la carnicería del barrio a pedir unos huesitos para la sopa.

—¿Dónde queda su cité?

—En la calle Olivos. Cerca del manicomio —contestó la mujer y sonrió, mostrando una encía sucia en la que sobrevivían dos dientes pequeños y amarillos.

—¿Hay algún día especial en que aparezca el Pitico?

—Nunca se sabe. Para ubicarlo, mejor es ir al *Don Raúl*, un bar que está al costado de la Vega. Suele ir todas las tardes. Cada vez que paso a pedir algo, lo veo atareado con una caña de tinto.

—Gracias, abuela.

—No me vaya a acusar con nadie.

—Cómprese unos buenos huesos, abuela —dije, al tiempo que ponía dos mil pesos en el platillo que la vieja usaba para recibir las limosnas.

La vieja volvió a sonreír hasta que una tos violenta la obligó a cubrirse la boca con las mangas del abrigo. Me alejé y sin mirar atrás, tomé el camino de regreso a mi oficina. Dejaría pasar un día o dos y después vería el modo de encontrar al lanza.

Cerca de la medianoche, recordé a Claudio Plaza y decidí llamarlo a su celular. Disqué el número y por la demora en la comunicación, deduje que estaba llamando fuera de Santiago; tal vez a la casa en Isla Negra de la que había hablado su empleada. Al final escuché el timbre al otro lado de la línea. Esperé a que sonara ocho o nueve veces y cuando me disponía a regresar el teléfono a su sitio de costumbre, oí que se producía la comunicación que tanto deseaba.

—¿Quién? —escuché preguntar a una voz de hombre.

—Señor Plaza —comencé a decir—. He tratado de ubicarlo...

—Sus amenazas no me importan —dijo, interrumpiéndome.

Escuché unos ruidos en la línea y la comunicación se cortó. Volví a marcar el número de Plaza pero no tuve suerte.

Sin pensarlo dos veces, llamé a Bernales. El policía estaba viendo una película en la televisión y su voz sonaba cansada.

—¿Qué quiere que haga? —preguntó después que lo puse al tanto de la conversación con el extraño del celular.

—Apostaría a que Plaza fue el que contestó la llamada. Y también a que está solo y con miedo por algo que desconocemos. Debes llamar a tus colegas y pedir que lo busquen. No debe ser difícil dar con su casa en Isla Negra.

—Veré qué puedo hacer —dijo Bernales y luego, agregó—: Fui al barrio de Morales. El auto que lo atropelló era un taxi Opel de cuatro puertas. También conversé con tres testigos que coinciden en que el chofer era colorín, robusto, y usaba bigote grueso y perilla.

—En una de esas me lo encuentro en el estadio.

—Sus bromas están fuera de lugar, Heredia.

—Preocúpate de Plaza. ¿De acuerdo?

10

El teléfono sonó cuando terminaba de preparar tres tostadas para el desayuno. Había leído dos avisos necrológicos relacionados con Gordon. Uno lo firmaba su hermano Gaspar y el otro, la Asociación de Empleados de la Contraloría. En las páginas policiales leí unas noticias acerca del asalto a dos estaciones bencineras y al decomiso de un cargamento de cocaína proveniente de Bolivia. La información era escueta y al término de ella se mencionaba a Bernales. Después, revisé las crónicas deportivas para conocer el rival de esa semana del Magallanes y sin más, boté el diario al papelero.

Pensé que podía ser una llamada de Bernales. Sin embargo, apenas levanté el fono reconocí una voz de mujer.

—Decidí perdonarte. Anoche estudié las cenizas y entendí que fui un tanto precipitada en mi conducta —escuché decir a Madame Zara.

—Me alegro. No todos los días se conoce a una mujer razonable.

—En las cenizas aparecías rodeado de una gran sombra, y tras ella, vi a un hombre que cojeaba. Se parecía al juglar del Tarot que cuando sale invertido representa la voluntad de una persona aplicada a fines malignos. En cambio tú te pareces al Rey de Copas, un hombre bello, libre y generoso. Tienes que cuidarte, Heredia. He pensado mucho en nosotros y lo que sucedió la otra noche no significa nada. Fue un error de mi parte. Lo entendí después de conversar con tu amigo, Anselmo.

Es tan galante. Al principio creí que las flores eran tuyas, y las rechacé. Después él me explicó que había sido idea suya, al igual que los chocolates.

—¡Chocolates!

—Y también pasteles.

—Deberías prestar mayor atención al querido Anselmo.

—Lo encuentro tan simpático.

—Basta con que te asomes por tu balcón y lo llames. Es un tipo con una gran vida.

—¿No te molesta que piense en él?

—Desde luego que no. Al contrario...

—¡Imbécil! —gritó Madame Zara y cortó la comunicación.

—¡Minas! ¡Todas locas! —dije a Simenon que observaba desde un rincón de la oficina.

—Loco es el que las busca.

—¿Me oíste golpear a la puerta de la adivina?

—A la de ella, no. Pero a la de tu muchachita.

—¡Carajo! Tenías que acordarte de Griseta.

—La extrañas, ¿no es cierto? Te miro y me das pena. Entras y sales. Tratas de pensar en otras cosas, pierdes el tiempo en trabajos que no significan nada, te desgastas inútilmente. ¿Qué te importa Gordon? Sus papeles perdidos y todo eso. Todavía no entiendes que a nadie le interesa tu verdad.

—Estoy seguro que cuando el lío de Gordon termine, ella regresará.

—Antes tenías mejores excusas.

—¿Y a quién le importa lo que tú pienses?

La respuesta de Simenon se esfumó con los golpes que alguien daba en la puerta de la oficina. Abrí y entró Bernales, agitado y sudoroso.

—¿Dónde está?

—¿Qué? ¿Quién?

—La botella que guarda de reserva para los malos ratos. Alguna vez usted me dijo que siempre mantenía una dosis de trago a emplear en casos de emergencia.

—En el segundo cajón del escritorio hay una botella y tres vasos.

Bernales se abalanzó sobre el mueble y en un abrir y cerrar de ojos lo vi darse un largo y desesperado trago de pisco.

—Quiero que deje de jugar conmigo, Heredia.

—¿Qué sucede?

—Usted sabe más de lo que me ha dicho sobre Gordon.

—Te equivocas.

—Me ha estado tirando migajas de pan, como si yo fuera un pendejo al que le pueden meter tres dedos en la boca. No fue casualidad que usted estuviera en el hotel la noche que murió Gordon. Usted lo seguía por alguna razón que hasta ahora no me ha querido decir.

—¿Qué bicho te picó, Bernales?

—Usted y sus recados. Llamé a mis colegas de Cartagena y les pedí que investigaran a Plaza. Lo encontraron colgado de una viga. Llevaba tres días en Isla Negra. Un vecino lo vio caminar por la playa el primer día y después ya no lo vio más. Al parecer el hombre tenía sus preocupaciones y se suicidó una hora después de que habló con usted.

Le arrebaté la botella de las manos y lo encaré.

—En verdad, no estaba al tanto de nada de eso. Todo lo que sabía de Plaza te lo dije la otra noche.

—¿Por qué, entonces? Primero el estafeta y ahora Plaza —dijo Bernales, y noté que su ira se esfumaba.

—Alguien está en conocimiento de lo que hacemos y se apresura en borrar las huellas. En cuanto a Plaza, y a pesar de las apariencias, nada nos asegura que su muerte sea un suicidio.

—Mis colegas no encontraron huellas de violencia en la casa. Plaza dejó una carta en la que dice que está cansado y no soporta más la culpa. ¿Qué significa eso? ¿Se le ocurre algo, Heredia?

—Tengo una colección de hilos sueltos en la cabeza y no logro unir ninguno de ellos.

Bernales sacó dos vasos desde el cajón del escri-

167

torio y los llenó de pisco. Luego, comprobó que los dos tuvieran una ración igual, y me alcanzó uno.

—Contienen lo mismo, Heredia. Significa que le creo y que ambos debemos confiar en el otro, por igual.

Miré el vaso y bebí su contenido. Bernales me imitó y enseguida volvió a llenar los vasos.

—Vas muy de prisa.

—Hoy entregué a mi superior un informe relacionado con el lavado de dólares provenientes del narcotráfico. Fechas, transacciones, nombres. ¿Sabe lo que hizo? Rompió el informe y luego dijo que no me metiera en las patas de los caballos. Que esos nombres pertenecían a gente que había financiado varias campañas de senadores y que él quería terminar tranquilo su carrera. Y la verdad es que no tengo pruebas. Sólo información, confiable, pero nada más. Él tiene razón. Sería mi palabra contra la de muchos otros. Estoy en medio de un nudo ciego y no sé cómo salir de esa situación.

—La justicia es un ideal, Bernales. Y la mayoría de las veces, sólo conseguimos alcanzar sus reflejos.

—¿Qué nos queda?

—Luchar. O agachar el moño.

11

El mediodía nos sorprendió con la botella en su punto más bajo. A instancias del policía salimos a recorrer el centro, a la búsqueda de un lugar tranquilo donde seguir bebiendo. Terminamos en el *City*, a media cuadra de la Plaza de Armas, discutiendo acerca de las bondades del vodka y de los mentados efectos del gin sobre la respuesta sexual. En esporádicas ráfagas de lucidez, coincidimos en que el caso Gordon era algo más que una serie de muertes casuales.

—Salvo que la suerte nos haga un guiño, lo único que se me ocurre es presionar a la Dupré —dije, mientras observaba el fondo de mi copa, donde los restos de tres cubos de hielo se mezclaban con las últimas gotas de licor—. El informe de Gordon debe contener alguna información clave y estoy seguro que esa mujer la conoce.

—No puedo detenerla sin una razón valedera. Y aunque contara con una, tendría que informar a mi jefe.

—Siempre nos queda la vieja fórmula. Sudor y suerte —dije, sintiendo que el alcohol recorría mis venas y que en algún punto impreciso de mi mente comenzaba a dibujarse una sombra de mal augurio.

—Iré a la playa a registrar la casa de Claudio Plaza y lo mismo haré en su departamento en Santiago. Los colegas de la costa dicen que encontraron dos frases escritas con plumón en el piso de la habitación donde se colgó: «No más miedo. No más mentiras». Dos frases que pudo escribir alguien atemorizado o en estado depresivo.

—Y que resumen las dudas de cualquier persona en estos tiempos. Miedo a la vida que pasa de largo, asco a las mentiras que consumimos a diario. La existencia es cada día más falsa. Importan las apariencias, no las personas. La imagen, no el fondo de las cosas. El discurso más que la acción. Estamos jodidos, Bernales. Se habla de progreso y de grandes cifras, pero no se repara en quién y cómo reparte esas cifras.

—Usted sólo sabe hacer discursos, Heredia. Y los discursos no sirven para nada. Lo sabe bien. Los de su generación se tragaron todos las palabras del mundo, y ¿a dónde llegaron?

Sus palabras se enredaban entre sí y por un momento, temí que fuera a dar de bruces contra la mesa.

—A los de mi generación nunca los dejaron hacer discursos. Simplemente los obligaron a poner el culo para recibir golpes por culpas ajenas. Y cuando creíamos que era nuestro turno, aparece una promoción de tipos que cree estar inventando la vida y arrasan con su prepotencia hueca y copiona de cosas que aprendieron mirando videos clips o consumiendo hamburguesas en los MacDonalds. Y eso no es todo. Los señores que hicieron los discursos de antaño, ahora están apoltronados, conversos y con ínfulas de gurúes.

—¿Y qué esperaba? ¿Que siguiéramos con la letanía de reclamaciones llorosas? Lo que pasó ya nadie puede enmendarlo. No podemos aferrarnos a un pasado que ni siquiera vivimos. El mundo cambió y los dinosaurios como usted ya no tienen mucho más que hacer. Ni siquiera tienen a alguien que los escuche. Hay que vivir la época y aprovechar las oportunidades para pasarlo lo mejor posible. Uno es el que importa, los demás que se rasquen con sus propias uñas.

—Ni siquiera nos dieron la oportunidad de equivocarnos —dije sin escuchar a Bernales—. Sobrevivimos con nuestras ideas y dolores, y muchos ya ni siquiera saben dónde están parados. Pero aún así, no renuncio a nada. Hay que luchar para rescatar la rebeldía, la capacidad de ilusionarse y pensar más allá del propio ombligo.

—¿No cree que ya está viejo para ese cuento? Ya pasó su tiempo, Heredia.

—¿Quién eres tú para decir eso? ¿A quién le has ganado? —agregué, al tiempo que botaba mi copa al suelo, sin importarme la rabia del mozo que nos atendía ni las miradas de los demás parroquianos.

12

Acababan de dar las doce de la noche cuando dejé a Bernales dentro de un colectivo que pasó por la calle San Antonio. Un airecillo fresco había conseguido despejar las brumas de mi borrachera, y aunque no estaba en condiciones de resolver ecuaciones de tercer grado podía caminar en línea recta y reconocer los rostros de las personas que pasaban a mi lado. Deduje que Bernales tendría un despertar a las orillas del infierno y que por la mañana le costaría algo más que medio litro de café recuperar el orden de sus ideas.

Me puse a caminar con la intención de hacer el último aro en el *Isla de Pascua*, pero un letrero, grande e imprevisto, me informó que frente al bar se trabajaba en la remodelación de una tienda comercial. Caminé por San Antonio disfrutando esa tenue intranquilidad que dan las calles céntricas, semivacías, a una hora en la que sólo se cruzaban algunos noctámbulos y los primeros cartoneros de la noche. Al llegar a la Plaza de Armas ubiqué un teléfono público. Griseta estaba en su casa, pero apenas escuchó mi saludo se dio cuenta que había andado por el camino que ella tanto detestaba.

—No es hora de llamar —dijo—. En la pensión hay ciertas reglas.

—¿Desde cuándo tanto amor por la ley?

—No todos podemos ser como tú y mirar la vida desde un rincón.

—Alguna vez te gustó esa forma de ser.

172

—Alguna vez también te dije que deseaba hacer algunas cosas por mi cuenta. Al parecer nunca lo entendiste y has tomado mi partida como algo personal.

—¿No lo es?

Griseta calló e intuí que luchaba por contener su rabia.

—Te extraño —le dije.

—¿Qué quieres? ¿Qué salga corriendo a tus brazos?

—Es la primera vez que hago una declaración de ese tipo.

—Es un poco tarde, Heredia.

—Te extraño —insistí.

—Eso no cambia nada. Tomé una decisión y sería bueno que la aceptaras.

—Déjame ir hasta tu casa y decírtelo personalmente.

—Una vez, en ese tiempo que tú llamabas de ángeles y solitarios, me dijiste que el día que me cansara de ti, sólo debía decir: adiós, Heredia. ¿Lo recuerdas?

—He dicho muchas tonteras en mi vida.

—Lo voy a decir una sola vez.

—¿Qué demonios pasa? ¿Por qué todos se alejan de mi lado?

—Adiós, Heredia —dijo Griseta y cortó la comunicación.

Dejé el fono en su sitio y una vez más enfrenté la noche. Desde la calle Puente vi aparecer un carro tirado por un caballo blanco. Tras él, dos hombres andrajosos iban recogiendo papeles y cartones. Parecía resplandecer y creí que alzaría vuelo, como un pegaso empobrecido. Pero no ocurrió nada. Los hombres siguieron en su trabajo y el caballo los siguió con toda la tristeza del mundo reflejada en sus ojos.

Caminé por Morandé en dirección al norte. La calle estaba tranquila hasta que al llegar frente a la entrada del hotel *Cervantes*, escuché el ruido que hacía un vehículo al acercarse. Tal vez fue la suavidad con la que se desplazaba o el instinto de sobrevivencia, lo que me hizo prestar atención al motor del vehículo y arrojarme al suelo hasta quedar al amparo de un depósito de basura.

La ráfaga de metralla barrió la vereda y tres disparos fueron a dar en el depósito que me protegía. Saqué la pistola y disparé hacia el taxi Lada que se había detenido diez metros más adelante. Mis disparos dieron contra la cortina metálica de una tienda. El auto retrocedió y otra ráfaga volvió a estremecer mi refugio. El cargador de mi pistola estaba vacío y el de repuesto lo había dejado en la oficina.

Un gato negro cruzó la calle y cuando vi que alguien descendía del taxi, pensé que el final sería sencillo. Bastaba acercarse a mi escondrijo y repetir el monocorde concierto de la metralleta. El hombre, alto y corpulento, dio dos pasos y se detuvo. En la penumbra reconocí su cabellera rubia y un bigote que llenaba su rostro. Cuando sólo quedaba esperar, oí que las puertas del hotel se abrían y alguien se asomaba a la calle y gritaba algo indescifrable. El hombre rubio retrocedió y volvió a entrar en el Lada. Un chirrido de frenos apagó el siguiente grito del guardia. Levanté la cabeza y alcancé a ver al taxi perderse en la esquina más cercana.

—¿Está bien? —oí preguntar al guardia del hotel, un hombre grande, con aspecto de luchador.

No supe qué responder. Miré al cielo despojado de estrellas y guardé mi pistola. La muerte se alejó de mi lado y la noche siguió su curso. No había nada que decir.

CUARTA PARTE

1

Dejé pasar las horas, recostado sobre el brazo izquierdo de la butaca, observando la luz que poco a poco entró en la oficina. Redescubrí muebles y libros, el escritorio, y sobre éste, la Walther de nueve milímetros, inútil recuerdo de la noche pasada; del ataque y mi posterior deambular por las calles del barrio hasta que el miedo dio paso a un sentimiento de desamparo que me llevó a buscar refugio en la oficina. ¿Qué me había salvado? ¿El instinto? ¿La suerte? ¿El oído que advirtió la marcha del vehículo? No tenía respuestas. El destino me asignaba la misión de seguir con los ojos abiertos. O tal vez, era el viejo ángel de la guardia de la infancia, al que recurría cuando sentía miedo de perder aquellas cosas que más amaba. Los árboles, el mar, la música, mis libros, el recuerdo de las mujeres que había amado y cuyos nombres registraba en una pequeña libreta; porque, al igual como un avaro contabiliza sus bienes, yo retenía sus nombres, las huellas de sus caricias, los instantes en que ellas parecieron algo definitivo.

Saqué del escritorio una caja de balas y las coloqué en el cargador de la pistola. Apunté a un enemigo imaginario y traté de recordar los rasgos del pistolero de la noche anterior. Su imagen era borrosa y salvo por la posible ayuda de la intuición, dudé en la posibilidad de reconocerlo. Marqué el número de Bernales y respondió un contestador automático que escuchó pacientemente mi narración del ataque.

Después dejé el teléfono en su sitio y de inmediato, al tiempo que encendía un cigarrillo, volvió a sonar.

—Julia Bustos —escuché decir con voz temblorosa.

—¡Julia! Me sorprende. No esperaba recibir su llamada.

—Ocurrió algo extraordinario, señor Heredia. Ayer trabajé en la limpieza de la oficina del finado señor Gordon. Sacaba los papeles que no le sirven al nuevo jefe, cuando al mover el esquinero que está al lado del escritorio, encontré dos hojas manuscritas. Reconocí en ellas la letra del señor Gordon, las leí, y supe de inmediato que correspondían a una parte del informe extraviado. Seguramente el señor Gordon las quiso dejar en el papelero y no tuvo puntería.

—¿Está segura? —pregunté, interesado.

—En varias partes nombra el proyecto Gaschil. Además, recuerdo haber tenido esas hojas conmigo cuando escribí el informe. De su contenido no tenía memoria. Usted me entenderá. Después de tantos años en lo mismo, no pongo mucha atención en el contenido de lo que escribo. Todo es mecánico, palabras tras palabras.

—Es la ración de suerte que deseaba —murmuré.

—¿Qué dice, señor Heredia?

—Pensaba en voz alta.

—¿Aún le interesa el informe? He tratado de averiguar qué pasó con el original, y nadie sabe nada.

—Más que nunca. Iré a su oficina a buscar las hojas.

—Prefiero que no venga. Es ridículo, pero me da miedo y no sé si esté actuando correctamente.

—¿Qué propone?

—Juntémonos en el *Café Colonia*. Hace un mes celebramos ahí el cumpleaños de una colega, y hoy es una buena ocasión para ir de nuevo. A la una, ¿le parece?

El *Colonia* queda en la calle Mac Iver, a pocos pasos de la Biblioteca Nacional. Es un sitio tranquilo donde sirven buen café y pasteles preparados con antiguas recetas de origen alemán. Sus sillas de madera son amplias y cómodas; y por las tardes están ocupadas por mujeres solas o parejas de enamorados.

Ese mediodía ofrecía un menú compuesto por dos o tres variedades de platos y una atractiva carta de emparedados.

Julia Bustos ocupaba una de sus mesas próximas al ventanal que daba a la calle Mac Iver. Vestía un traje sastre azul y con unas gafas montadas a medias sobre su nariz trataba de leer el menú. Al verme, se sacó de prisa las gafas y las guardó en su cartera. La saludé y con una sonrisa me hice cómplice de su coquetería.

—Disculpe el atraso —le dije, sentándome frente a ella.

—No tiene importancia. Cada día se hace más difícil caminar en el centro —respondió.

Noté que estaba nerviosa y se lo comenté.

—No estoy acostumbrada a las citas con hombres. Si las otras secretarias de la oficina me llegan a ver, usted ni se imagina lo que dirían.

—Hoy en día las mujeres ya han ganado su derecho a una cana al aire.

—Las cosas que se le ocurren —dijo y advertí que sus mejillas adquirían un tono rosado—. Mi marido es vendedor viajero y si no estuviera segura que hoy está trabajando en La Serena, jamás habría venido a este lugar.

—Tome el asunto de los papeles como algo normal —dije, sin estar seguro de que fuera cierto—. Nadie conoce de su existencia y ni siquiera estamos seguros que sirvan.

La mención de los papeles hizo que la mujer buscara en su cartera hasta dar con las hojas que nos unían en esa cita.

—Son suyas —dijo, al tiempo que me pasaba dos hojas con el membrete de propiedad estatal en sus bordes superiores. La letra de Gordon era minúscula y su escritura iba hilando frases a semejanza de las huellas de una hormiga. Cada acento, coma y punto estaban colocados en su lugar, delatando la preocupación del auditor porque su escrito fuera claro y entendible. La hojas estaban numeradas y parecían contener la última parte de las conclusiones del informe.

«El análisis de los aspectos técnicos del proyecto —leí— obliga a formular reparos en relación no sólo al trazado del gasoducto, sino que también respecto a los materiales que se considera emplear en su construcción. En efecto, teniendo en cuenta textos escritos por autores de reconocida competencia y hechas las consultas pertinentes a especialistas en el tema, se puede concluir que los materiales señalados son inadecuados en relación al terreno en que deben ser aplicados, ya que por su calidad son susceptibles de corrosión y fatiga. La corrosión puede originar escapes de gas, y la fatiga, adelgazamiento de las tuberías y fisuras de difícil detección».

—¿Es lo que buscaba? —preguntó la secretaria.

—Creo que sí. Y mientras termino de leer, por qué no adelanta nuestro pedido —le respondí, indicándole el menú.

«Por otra parte —continuaba el borrador de Gordon— un análisis comparativo de costos de los materiales y sus precios actuales en el mercado, permite señalar que dichos costos están sobrevalorados en la propuesta».

—¿Lomito con ensaladas? —volvió a preguntar Julia Bustos.

—Cualquier cosa que tenga colesterol en abundancia.

—No lo dirá en serio.

—Engordar es un gesto de protesta en contra de los aires light que corren hoy en día.

—Usted sí que tiene ideas raras.

—Mejor ni le cuento —dije, simulando una sonrisa grotesca.

«La aprobación de la propuesta de Gaschil —decía Gordon— violaría las disposiciones del plano regulador de la Región Metropolitana, ya que en él se establece, por virtud de una ley, que la zona comprendida en varios tramos del gasoducto está considerada de alto riesgo geofísico y ha sido declarada zona de protección ecológica de desarrollo controlado. Su uso, dispone el cuerpo legal, es exclusivo para actividades de reforestación y recreativas, y su conformación topográfica no puede ser alterada con instalación alguna. En consecuencia, se estima conveniente recomendar el rechazo de la propuesta en los términos en que está concebida».

—Está escrito en difícil, pero lo medular se entiende —comenté a mí mismo—: Deficiencias técnicas, falta de un estudio sobre impacto en el medio ambiente y recargo en los costos de operación.

—¿Sirve para su trabajo? —preguntó Julia Bustos.

—Empiezo a entender por qué alguien quiso sacar del camino a Gordon —respondí y luego, como si hubiera estado a solas pensé en un par de ideas que comenzaban a formar su nido en mi interior. En las grandes licitaciones, ¿cómo se financian las coimas, la sensibilización de los clientes de la que había hablado Otero? ¿Con cargo a las utilidades? Era una posibilidad. La otra, recargando los costos operacionales. Una materia prima que costaba diez se cotizaba en quince. La diferencia iba a los bolsillos de quienes estaban a cargo de aprobar el contrato.

—¿En qué piensa? —preguntó Julia Bustos—. Parece que la lectura de esas hojas lo dejó preocupado.

—Nada, no me haga caso. El hambre me hace divagar.

—Puede decirme de qué se trata.

—Sería largo de explicar, señora —respondí, al tiempo que miraba de reojo hacia la entrada del café, atisbando la entrada de los clientes—. Y cuanto menos sepa, mejor para usted.

La imagen de la pistola sobre el escritorio volvió a dibujarse en mi memoria. Venían tiempos difíciles y tal vez debería recurrir a ella. Pero al menos, como había leído en una entrevista a un psicólogo: la existencia de un enemigo servía para unir los sentimientos y las fuerzas. Sólo que mi enemigo carecía de rostro e ignoraba el camino que conducía hasta él.

—Llegó la comida —dijo la secretaria.

—¿Le molesta que pida una cerveza?

—Yo también quisiera una —agregó Julia Bustos y noté que volvía a ruborizarse.

—Antes de embriagarnos, quiero agradecer su ayuda, Julia. Esas hojas que usted encontró tienen la magia del as de espada en medio de una mala partida de truco.

—No entendí nada, pero el tono con el que habló, me asusta.

—Dos cervezas —pedí a la garzona, obviando el comentario.

2

Cinco minutos antes de las tres, Julia Bustos tomó su cartera y se fue a toda prisa, calculando los minutos de los que disponía para regresar a la oficina, antes que sus colegas hicieran cuestión del atraso.

Durante el almuerzo vigilé la entrada al café y la ausencia de extraños en actitud sospechosa, me dio tranquilidad para guiar la conversación hacía los comedillos de oficina que podían dar otras luces al enigma del informe extraviado. Pero no obtuve nada. Las anécdotas de la secretaria recorrían los pasillos de lo común; de los días que transcurrían monótonos y en los cuales los funcionarios consumían ilusiones de lunes a viernes, reiterando con el mínimo esfuerzo las tareas que justificaban sus sueldos, mientras envejecían rumbo a la jubilación, antesala de otro infierno.

Pagué la cuenta y salí del café. Los transeúntes pasaron indiferentes a mi lado y luego de andar media hora sin destino aparente, pensé que el asaltante nocturno tomaba precauciones y dejaba su segundo ataque para otra oportunidad. En tal caso, no había mucho que hacer, salvo esperar, alerta a las frenadas de los autos en la calle.

En la oficina esperaba Bernales. Fumaba un cigarrillo frente a la ventana y al verme, hizo un gesto de alivio y se acercó hasta el escritorio donde alguien había depositado dos carpetones.

—Me tenía preocupado, Heredia —dijo—. ¿Qué

es toda esa historia del ataque que grabó en el contestador telefónico?

—Es lo que sucedió anoche, con pelos y señales.

—Y aparte del susto, ¿no le pasó nada? ¿Se encuentra bien?

—Salvo perder unos grados más de fe en el género humano, nada.

—Cuéntemelo todo.

—Todo es lo que ya grabé en su maquinita infernal.

—Quiero oírlo de nuevo y detenerme en los detalles.

—Si eso te hace feliz —dije y me senté junto al escritorio.

—Las características del asalto me hizo pensar en ciertos sujetos —dijo minutos más tarde, una vez que terminé de repetir la historia del ataque—. Tomé prestadas algunas fotos que nos pueden ayudar.

Miré las carpetas y deduje que eran lo suficientemente abultadas como para contener un centenar de fotografías.

—Revíselas y vea si encuentra al hombre que lo atacó.

—¿Quiénes son? ¿A quiénes pertenecen las fotos? —pregunté mientras abría uno de los carpetones.

—Unas, a tipos que deben varias muertes y no tendrían asco en incrementar la lista. Las otras son de policías dados de baja. Algunos delinquieron mientras eran funcionarios y otros, fueron exonerados al asumir el presidente Alywin.

Una hora después había seleccionado cuatro fotos que mostraban una imagen similar de hombres rubios con bigotes. Al reverso de cada foto había escrito un nombre, y las elegidas correspondían a Abelardo Montes, Julio Diocares, Darío Mendezona y Fabián Ocaranza.

—¿Está seguro que se parecen al tipo que le disparó?

—Tanto como si tuviera que diferenciar a un mono entre diez —dije y miré a Bernales que leía unas fichas corcheteadas al final de cada carpetón.

—Bien —dijo después de terminar su trabajo—. Abelardo Montes murió hace tres meses en un asalto a la sucursal del Banco Sudamericano en Puente Alto. De los cuatro hombres que eligió era el único delincuente habitual. Los otros fueron policías. Mendezona, según los datos registrados, trabaja como jefe de personal en una empresa constructora. Julio Diocares formó una agencia de investigadores privados con otros tres detectives jubilados y de Ocaranza no se sabe nada.

—¿Piensas investigar a tus colegas?

—En especial a Ocaranza. Está relacionado con la muerte de un muchacho que estudiaba periodismo y fue detenido a fines de los años setenta.

—¡Un tipo lleno de gloria!

—Aún tenemos ropa sucia en el Servicio. Y en cuanto a lo que nos preocupa, después del asalto ya no tengo dudas. Andamos tras un negocio oscuro y alguien está empeñado en sacarnos del camino.

—Lo cual nos remite a las viejas preguntas de siempre: ¿Quién? ¿Por qué?

—Pondré a un par de mis hombres a trabajar con las fotos que usted seleccionó. Muchachos discretos que no irán con el cuento a ninguna parte.

Recordé los manuscritos de Gordon y pensé en seguir a solas la senda abierta por Julia Bustos y esperar un claro de luz antes de contárselo al policía. Las dudas eran más grandes que mis certezas, y no lograba definir la importancia del informe de Gordon ni los motivos de la persona interesada en ocultarlo. Pensé en Bórquez, el ecologista, y luego en Mujica, el abogado con quien Cambell me había enviado a conversar. Ocuparía unas horas de mi tiempo en cada uno de ellos.

—En cuanto a usted, Heredia: ¡Cuídese, y deje todo en mis manos! —agregó Bernales, al tiempo que abandonaba la oficina.

3

Llamé por teléfono a Ballinger y le dije que deseaba entrevistar a Bórquez. El gringo me dio la dirección y luego tuve que recurrir a varios pretextos para rechazar su oferta de compañía. Corté la conversación cuando insistía en su invitación a beber cerveza. Aquel gringo estaba loco o tenía una sed acumulada desde la infancia.

Cuando me disponía a salir recordé las fotos de Bernales. El policía había mencionado a Julio Diocares como miembro de una agencia de detectives privados y pensé que con unas llamadas podría conocer el nombre de la empresa. Abrí la Guía Comercial y en las páginas de los investigadores privados leí los nombres registrados en ellas: Agecip, Agencia Alfa, Agencia Jac, Caddies Investigaciones, Ofin, Selective Segurity, Atalaya Servicios, Sistema, Rec, Rangers, Orsem y Caz. Ofrecían experiencia y discreción en asuntos de infiltraciones, seguimiento, infidelidades matrimoniales, búsqueda de bienes y personas, filmaciones, intervenciones telefónicas y detecciones de robo. Cada una de las agencias ocupaba un recuadro destacado y entre los correspondientes a Caddies y Ofin, encontré unas letras negritas que decían: Heredia, Investigaciones. Eso y mi número telefónico, nada más.

Empecé las llamadas con la Agencia Jac y una secretaria me informó que en esa agencia no trabajaba nadie de apellido Diocares. Seguí con Ofin, Alfa y Rec, y en las tres obtuve el mismo resultado negativo. El quinto llamado lo hice a la Agencia Rangers; la voz de un hombre que parecía estar despertando de la siesta me obligó a repetir el nombre de Diocares antes de comprender la consulta.

—Es uno de nuestros asociados —dijo de mala gana.

—Quisiera hablar con él.

—Anda en terreno. Si lo desea puede hablar con otro de los socios, el señor Peralta.

—Gracias, pero es un asunto personal.

—Lláme mañana, después de la seis de la tarde.

—Prefiero aparecer por sus oficinas. ¿Dónde están?

—San Martín 450. Cuarto piso. ¿Quiere que le fije una cita?

—No es necesario. Soy un amigo del colegio. Estoy seguro que apenas me vea deseará atenderme —dije y luego de agradecer la información, corté la llamada y salí del departamento.

Bórquez estaba en su oficina de la calle Gorbea. Era una sala amplia y bien iluminada, con sus paredes cubiertas por afiches de campañas ecológicas, la foto de un gorila albino y letreros en varios idiomas que prohibían fumar. En medio de la habitación había un escritorio ocupado por un computador y una colección abultada de papeles.

—Pase y siéntese donde pueda —dijo apenas me vio entrar—. Espero que no le incomode el desorden. He estado lleno de reuniones.

—Dicen que el orden es la virtud de los necios —comenté—. Nunca he sabido a quién pertenece la cita.

—No estoy seguro que sea así, pero en todo caso, parece una buena excusa para los desordenados.

Saqué una resma de papel que tapaba el cojín de una silla y me senté.

—Perdone, recuerdo que el otro día andaba con Tom Ballinger, pero no retuve su nombre.

—Heredia.

—El investigador que no sabía qué era el proyecto Gaschil.

—Y que sigue lleno de dudas.

—¿En qué puedo ayudarlo? —preguntó, amable, al tiempo que ocupaba una silla, junto al escritorio.

—Quiero que me hable sobre el tema. ¿Cómo se origina? ¿Por qué Gaschil y no otro proyecto?

—El proyecto es parte de la integración económica entre Argentina y Chile. Los vecinos quieren vender gas y nosotros comprar a buen precio. El acuerdo inicial se firmó durante el gobierno de Alywin y a poco andar sufrió un tropiezo por el lado argentino.

—Usted ya me contó algo de eso. Un ministro argentino ansioso de ganar guita sin esfuerzo.

—Posteriormente, el proyecto fue reactivado y entraron a competir las ofertas de tres empresas: Exporgas, Gaschil y ArgenGas. En las tres participan capitales argentinos, chilenos y canadienses. Y en términos generales, las tres cuentan con recursos financieros y técnicos similares. Las diferencias son mínimas y difíciles de evaluar para alguien que no esté bien compenetrado en el tema.

—Tres ofertas, y alguien tiene que decidir con cuál quedarse.

—Una decisión compleja. Por la parte chilena intervienen varios ministerios. Hacienda, Minería, Obras Públicas, Economía y Relaciones Exteriores. También algunos organismos como la Comisión Nacional del Medio Ambiente y la Superintendencia de Electricidad y Combustible.

—Y a su juicio, ¿qué empresa tiene más posibilidades de ganar?

—No se ha dicho la última palabra. Aunque, entre bambalinas, el nombre que más suena es el de Gaschil. Incluso, como tal vez usted pudo escuchar en la reunión a la que asistió, hay una empresa, relacionada con Gaschil, que inició trabajos de remoción de tierras en uno de los sectores por el que pasaría el gasoducto. Eso es una señal evidente.

—¿Qué pasa con las otras empresas?

—Exporgas no es de la simpatía del gobierno chileno. Detrás de ese proyecto están algunas entidades que a comienzos de los años ochenta, adquirieron empresas públicas a bajo costo y con ello fueron amasando capital. Principalmente empresas productoras de energía eléctrica, industrias mineras y químicas. Negocios realizados al amparo de la mentada privatización del Estado. Un juego hasta cierto punto sencillo. Se tomaron empresas que funcionaban mal y en vez de invertir en mejorar la gestión, fueron vendidas a bajo costo a capitales privados que, a base de despidos y abundantes recursos financieros, lograron utilidades en corto tiempo.

—En síntesis, Exporgas estaría fuera de juego por criterios políticos.

—Si hacemos un análisis grueso a trazos gruesos, diría que eso es efectivo. Pero el asunto no es tan simple. En ArgenGas y Gaschil también participan personajes con pasados turbios. Y como usted bien debe saber, los negocios están por encima de las diferencias políticas, o mejor dicho, los negocios definen el acontecer político, la estabilidad del sistema.

—Y la Contraloría, ¿qué papel juega?

—Fiscaliza. Controla que los proyectos estén de acuerdo con la legalidad y cumplan los requerimientos técnicos y económicos. Si emite un juicio adverso puede hundir uno u otro proyecto —dijo Bórquez y luego de una pausa que aprovechó para ordenar las carpetas que estaban sobre el escritorio, preguntó—: ¿Piensa que la muerte del auditor va en tal sentido?

—Ejercito la imaginación.

—Usted no sabe bien en qué está metido, Heredia— agregó el ecólogo—. La construcción del gasoducto involucra grandes utilidades. Si eso lo tiene claro, no se sorprenderá con nada de lo que descubra. Y si encuentra algo que sea de interés para la causa, acuérdese de nosotros.

—Pensaré en eso —dije—. Por ahora no tengo más preguntas.

—Mañana o pasado puede venir de nuevo y con gusto conversaré con usted —agregó Bórquez.

Observé los afiches colgados de las paredes. Pesca indiscriminada, tala de bosques, polución química, niños desnutridos, armas nucleares. Los temas para protestar eran muchos y el tiempo, poco.

—¿Tiene solución todo eso? —pregunté indicando los afiches.

—¿Quiere que le responda con la verdad o con un discurso?

—Pruebe con el discurso.

—Es necesario colocar los problemas ecológicos en el centro de las preocupaciones de los gobiernos, desenmascarar a los que comercian con la naturaleza y la fauna. Es necesario poner fin a la producción y consumo indiscriminado, a los lujos innecesarios...

—Ahora, dígame la verdad —interrumpí.

—El mundo se agota y no lo queremos aceptar. Estamos jodidos.

4

El hombre es un problema sin solución. Engendro de un dios descuidado y chapucero que se ríe a gritos de su vieja travesura en el Paraíso. Destruye su hábitat desde la época de Adán y nada puedo hacer contra eso, salvo dejar de fumar o pararme en el Paseo Ahumada y predicar de sol a sol. «La vida es una herida absurda». Lo decía Goyeneche algunas tardes en que las sombras de la noche parecían lejanas y mi ánimo, decaído y somnoliento, apenas me daba fuerzas para escuchar tangos, mientras a mi lado dormía Simenon, insensible como un cojín de plumas, y el reloj —el más miserable de los usureros— hacía su negocio con la precisión de costumbre.

Olvidé a Bórquez por algunos minutos y entré a *El Rápido* por unas empanadas de queso y dos copas de vino tinto. Era la hora en que después de airear sus papeles en los tribunales, aparecían por el bar los abogados de medio pelo y uno que otro oficinista que hacía uso de su media hora de permiso para comer. Los pedidos salían de prisa y antes de quince minutos estuve de nuevo en la calle, lejos del rumor del bar, de sus mozos vestidos de celeste y de un olor a masa frita que impregnaba la ropa de los clientes. Caminé por Bandera, la calle que debía su nombre a un carnicero colonial que enarbolaba una bandera roja para anunciar su mercadería, y no aflojé el paso hasta llegar a la esquina de Aillavillú, donde los últimos rayos de sol doraban las piernas graciosas de las colegialas que volvían de sus clases. Para ellas sólo podría ser el «tío

Heredia» y eso, más allá de la nostalgia, me recordaba que ya no estaba en edad de jugar con muñecas ni oler a leche cortada.

Maldije las zancadillas del deseo y silbando un tango tristón entré al departamento donde encontré los ronquidos de Simenon y un sobre de papel manila que alguien había deslizado bajo la puerta. Lo abrí y su contenido me atravesó como una puñalada.

«Don Nadie —decía— la otra noche te dimos una advertencia. Deja de husmear o terminarás en la fosa común».

—Nada mejor que una prosa escueta y directa —dije a Simenon que en ese momento abría sus ojos, llenos de verde y tedio.

—Nada mejor que retirarse a tiempo.

—Gato que ha olido un ratón no se conforma con lengüetear sus uñas.

—¿Te crees muy listo? ¿Qué ganas?

—El derecho a mirar el espejo sin sentir náuseas. Y algo con qué llenar mis horas.

—Si estás aburrido, lee a Dickens.

Releí el mensaje y observé que había sido escrito en una computadora, sin que nada en la hoja diera indicios de su procedencia. Un mensaje tan preciso como la borroneada receta de un médico.

—¿A qué hora lo dejaron? —pregunté a Simenon.

El gato, indiferente, comenzó a lamer los bordes de sus patas blancas.

—Para qué te doy de comer si no vigilas —agregué, mientras Simenon seguía con su aseo, imperturbable—. Sí, no lo digas. Como cada vez que estoy a punto de apretarte el cuello, vas a citar al francés de las flores malditas: «A los ardientes amantes y a los sabios austeros, cuando tienen muchos años, les gustan los gatos, orgullo del hogar, fuertes y suaves, tan frioleros como ellos y asimismo tan sedentarios».

Unos toques en la puerta libraron a Simenon de mis alegatos. Abrí y dejé pasar a Anselmo que vestía como para asistir a una fiesta. Terno azul con vetas blancas, camisa rosada y una corbata gris perla. Las prendas parecían sacadas recién de una tienda.

—¿Qué tal las pilchas, don?

—De puta madre.

—Eso es bueno o malo.

—Estás como para acompañante de la Schiffer.

—Usted sí que sabe dar ánimo, don. Mire, si hasta saqué tatunes nuevos —dijo el suplementero, indicando sus zapatos negros y relucientes.

—¿Y a qué se debe el empilchado?

—Adivine buen adivinador.

—La adivina.

—Fijo que el conserje vino con el chisme.

—¿Qué pasa con la adivina?

—Ayer la señora me dio conversa y yo le apuntalé el verbo. Creo que estamos a punto de un gran romance.

—¿Tú y ella?

—De esta noche no pasamos.

—Estás seguro que no te la están jugando.

—De tonto, yo nada, don.

—Con las mujeres uno nunca aprende. Hoy juran amor y al día siguiente, si te he visto ni me acuerdo.

—¿Está celoso, don?

—«Digo que las amadas pueden ir de mano en mano, pues siempre fue mío el primer vino que ofrecieron».

—Si va a tomar bronca conmigo, guardo las pilchas y hasta aquí no más llegamos.

—Tranquilo. Sólo quiero que no te pasen por el aro.

—Zara dice que tengo un aura potenciada. Me tiró las cartas del Tarot y salió clarito el cinco de copas, que significa unión o matrimonio.

—No se hable más del asunto —dije, convencido de que al día siguiente volvería a ver al suplementero, amargado y triste como un buey sin pasto ni fe.

—Quería que usted lo supiera, don. No sea cosa que le esté pisando un juanete.

Tomé el sobre que había dejado encima del escritorio y se lo mostré.

—¿Viste entrar a alguien con esto? —pregunté.

—No, don. ¿Debía?

—Alguien lo trajo y sus intenciones no son buenas.

Anselmo leyó la carta. Sus ojos pequeños se agitaron, nerviosos, y pestañeó cinco veces antes de intentar algunas palabras.

—¿Lo pillaron con la mujer equivocada?

—Quiero que preguntes si vieron algo a los vecinos y al cuidador.

—¿Enseguida?

—Para la noche faltan varias horas. Sácate el disfraz y trabaja.

—Si usted lo pide, don —dijo Anselmo de mala gana—. Pero, promete que no olvidará a las tres viejas.

—¿Qué viejas? —pregunté, sólo por molestar al suplementero.

5

Encontré a Cambell concentrado en golpear el teclado de su computador con la desesperación de un aprendiz de pianista. A su lado, sobre el escritorio, tenía un mapa de Chile, del cual iba leyendo en voz alta algunos nombres que parecían provocarle placer: Cochoa, Menetué, Ñirehuao, Tapi Aike. Junto al tocadiscos estaba un sujeto de mediana estatura, que vestía camisa negra y campera de mezclilla. Lucía una barba de dos semanas y una expresión de hastío en su rostro.

—Termino y estoy contigo —dijo, aprovechando la pausa para ajustarse los anteojos sobre su nariz. Luego, indicando al extraño, agregó—: Conversa con Horacio Olivos. Es un amigo escritor que colabora en la revista.

Olivos observó de reojo y levantó su mano derecha a modo de saludo. Enseguida, volvió a preocuparse del wurlittzer y después de pulsar algunas teclas consiguió que comenzaran a oírse los primeros compases de un tango que, en vano, procuré reconocer.

—Es lo único bueno que tiene esta máquina —dijo—. «El motivo» de Juan Carlos Cobián y Pascual Contursi. Versión a dos bandoneones, de Troilo y Piazzolla.

Encendí un cigarrillo y di unos pasos hasta llegar junto al wurlitzer. Olivos parecía satisfecho por la lección que acababa de recitar. Pensé que ocuparía buena parte de sus horas en revisar carátulas de discos o revistas, y que su cabeza estaría llena de nombres, fechas y otras estadísticas.

—¿Te sobra otro? —preguntó indicando el cigarrillo—. Hace días que no tengo nada para quemar.

Le di un cigarrillo y el barbón se lo llevó a los labios.

—Tendré para puchos y algo de comer cuando Cambell me pague. La miseria logra que cualquier gozo pequeño se convierta en una venganza.

—¿Qué escribes para la revista de Cambell?

—Aparte de las columnas de hípica, cine y literatura, escribo historias de patos malos y minas locas. Cuatro carillas semanales desde hace dos años a esta parte. Con ellas nunca voy a ganar el Nobel, pero me dan de comer y dudo que existan cinco escritores en este país que puedan decir lo mismo.

—¿Cómo te las arreglas con la inspiración y una historia distinta cada siete días?

—La literatura buena es siempre lo mismo. Un hombre en el límite y una posibilidad de redención a través del amor o un gesto heroico.

—Al menos tienes una teoría previa. Había leído que generalmente era al revés. Los escritores redactan sus historias y después inventan una justificación.

—¿También escribes? —preguntó Olivos, sin prestar atención a lo que acababa de decirle—. ¿Cuentos o poemitas?

—Soy detective.

—¿Tira?

—Trabajo en forma independiente.

—Debes tener un filón de buenas historias.

—Tipos en el borde y romances truncos —dije, imitando el tono irónico de Olivos.

El escritor rió y se acercó a mi lado.

—Olivos —dijo, apoyando una de sus manos en mi hombro izquierdo—. Quiero escribir una novela policíaca y tal vez podrías ayudarme con los detalles del oficio. Personajes y anécdotas con las cuales pueda mover el lápiz.

—Años atrás le conté un par de historias a un ocioso que conocí en el *City Bar*. Después le añadió varios polvos, dos o tres crímenes imposibles y ganó un concurso que le reportó un buen fajo de billetes. El tipo me sigue pidiendo nuevas historias y por eso acostumbramos a encontrarnos en el bar.

—Conmigo las cosas pueden ser distintas.

—Siempre las cosas pueden ser distintas.

—¿Qué tal si le apretamos las clavijas a Cambell? —preguntó Olivos, al ver que mi entusiasmo literario era nulo.

No hubo necesidad de apurar al periodista, ya que apenas estuvimos frente a su escritorio, alzó la cabeza y nos miró.

—El arte de no decir nada en dos carillas —dijo sonriente.

—Otra de tus editoriales para el bronce —comentó Olivos, irónico.

—La mejor en los últimos meses. Drogas y políticos. Un tema que da para apuntalar la olla.

—Y a propósito de olla —comenzó a decir Olivos.

—No me digan nada. Los invito a comer —dijo Cambell, al tiempo que se ponía de pie y simulaba abrazarnos—. A la hora de los postres saco cuentas contigo, Olivos.

—El muerto del *Hotel Central* —dije en voz baja a Cambell, mientras caminábamos hacia la salida de la oficina—. Hay dos o tres novedades que deseo comentar contigo.

—Por Olivos no te preocupes. Sabe guardar secretos.

Miré a Olivos y acepté la confianza del periodista. El escritor parecía contento y luego de escuchar al periodista, esbozó una sonrisa cómplice.

Media hora después estábamos en el *Rhenania* de Irarrázaval y José Miguel Infante, alrededor de una mesa cubierta con un mantel de cuadros rojos y a la espera de tres órdenes de chuletas kassler y dos botellas de Santa Emiliana que Cambell se había encargado de pedir a un mozo viejo y algo sordo. Frente a nuestra mesa, una docena de hombres y mujeres parecía estar pasando un buen rato. Algunos de sus rostros me parecieron conocidos y Olivos comentó que era un grupo de escritores que se reunían mensualmente a beber unas copas y comentar los chismes del ambiente. Gente tranquila que bebía con entusiasmo hasta que uno de los mozos les indicaba que era hora de cerrar. En diagonal a ellos, rodeados de plantas exóticas, una pareja discutía. El hombre hablaba suavemente y la mujer sollozaba al amparo de una servilleta.

—A una que le cayó pesada la comida —comentó Olivos, al tiempo que miraba con descaro hacia la mesa ocupada por la pareja.

—Preocúpate de lo tuyo —le dijo Cambell—. Los escritores son los peores copuchentos que existen.

En ese mismo momento el mozo dejó una bandeja de pan sobre la mesa. Esperé a que el escritor arremetiera contra su plato y cuando Cambell se aprontaba a probar el primer bocado, le hablé del informe de Gordon. El periodista apartó el plato y después de vaciar su copa de vino, pidió que le repitiera la historia.

—Es evidente que el informe de Gordon molestó a alguien —dije, al terminar por segunda vez mi relato.

—Hasta ahora creí que sólo se trataba de algún funcionario gris con ganas de dar el vuelo definitivo.

—¿Quién jode en el informe? —preguntó Olivos, al tiempo que cortaba un minúsculo trozo de carne.

Miré a Cambell y éste le habló al escritor.

—Los mirones son de palo, viejo.

—No vengas con tonteras, Cambell —insistió Olivos—: ¿Quién jode?

—Un proyecto llamado Gaschil —dije—. Administrado por la Consultora Benex.

—Una gran empresa, ¿no?

—Dinero extranjero y muchas utilidades en el horizonte —respondí, sin atreverme a interrumpir la curiosidad de Olivos.

—¿Conocía Gordon a alguien de Gaschil?

—Dos de ellas dicen que lo vieron una o dos

veces. Una tercera, su vínculo más frecuente, está muerto.

—Eso para mí es suficiente —concluyó Olivos.

—¿Suficiente, para qué?

—Para escribir un artículo. De eso estamos hablando, ¿no?

—Creo que Heredia tiene otra idea en mente.

—Sí, pero la información no es tan clara como para entrar a empujones en la Consultora Benex —dije—. Y tampoco deseo que la policía meta sus narices.

—¿Qué propones? —preguntó Cambell.

—Usa tus contactos en los ministerios. Alguien que conozca el tramado de la licitación.

—Mis conocidos son ratones de cola pelada —contestó Cambell.

—Por qué no apuntas más alto —preguntó Olivos a Cambell—. Olvidas al «Buitre» Pérez. Fue comunista de capa y estoque; hoy es un socialdemócrata que oficia de asesor en temas inútiles. El aroma del dinero impregnó su utopía.

—Nunca hizo buenas migas conmigo, ni siquiera cuando éramos compañeros en la universidad.

—Llámalo, dile lo que quieres y si se pone esquivo, recuérdale que tienes un diario en el cual puedes dar a conocer algunas historias de la edad del olvido.

—La idea no es mala.

Olivos me observó como si hubiera escupido sobre su plato.

—Si lo hago, en una hora me cierran el diario —protestó Cambell.

—¿Qué tanto miedo? —preguntó Olivos—. El poder de Pérez no da para tanto.

—También sería bueno que conversaras con el abogado Mujica —dije.

—¿Qué pasa con él?

—Gordon preparaba un informe. ¿Quién lo pidió? ¿Quién pudo leerlo? Conozco una parte del estudio y sería interesante leer el resto; y más aún, saber dónde está.

—Tienes dos buenas razones para estar sobrio mañana —dijo Olivos mirando a Cambell.

El periodista hizo un gesto de fastidio y luego contempló sus chuletas frías.

—Perdí el apetito.

—Le pones color, Cambell —dijo Olivos—. Mañana inviertes media hora de tu vida en dos llamadas telefónicas y nuestro amigo Heredia agarra el hilo grueso de la madeja.

—Así, como lo dices, parece simple.

—¿Y no lo es?

—No —intervine, y luego apuré la segunda copa de vino.

A la medianoche caminamos hasta el bar *Berlín*, en la esquina de Irarrázaval y Vicuña Mackenna. Olivos propuso la copa del estribo. Cambell y yo lo seguimos como dos pelusas engrupidos con una cambucha de caramelos.

—¿Creen que sea atinado? —preguntó Cambell, por sexta vez en la noche. Tenía los ojos vidriosos y reía cada cinco segundos. Olivos, en cambio, permanecía feliz, como si el vino le hubiera dado un cierto optimismo que aligeraba la expresión de su rostro.

—Estás cagado, Cambell —le dijo—. Quince años atrás no hubieras hecho esa maldita pregunta. Ahora la chequera te comprime el pecho y no arriesgas nada.

—Jesse James es un fantasma de Hollywood, Olivos. Tus pendejadas y resentimientos están fuera de tiesto. Son otros los tiempos. ¿No te parece que tengo razón, Heredia?

—Necesito que hagas esas llamadas.

—Hasta Heredia se aburrió con tus dudas —dijo Olivos.

—¿Quién eres para juzgarme? —replicó Cambell—. Llevas una punta de años tratando de terminar una novela y siempre te falta algo nuevo.

—Soy un chico que cumple sus compromisos y escribe para evadirse de la bruma cotidiana. Sin fanfarrias ni padrinos.

—¿De qué te sirve? ¿Qué ganas? Desperdicias tu talento.

—Escribo pequeñas señales que de pronto encienden las pupilas de alguien. Nada más. No hay que dar tanta importancia a lo que uno escribe. Todo es materia para el olvido.

—Me aburres —dije a Olivos, mirando hacia la puerta del bar en el momento que entraba una muchacha rubia, acompañada de dos hombres que vestían casacas de cuero—. Me aburren los escritores que hablan de lo que piensan escribir y son incapaces de redactar una frase convincente. Los bares están llenos de Borges inconclusos y de tipos que se juran escritores porque alguna vez le dieron la mano a Cortázar u obtuvieron nota siete en alguna composición escolar.

—¿Qué bicho te picó? —preguntó Olivos—. ¿Qué sabes de escritores?

—Suelo encontrarme con algunos de ellos en los bares. A veces los escucho y antes, cuando era más inocente, leía sus entrevistas en los diarios. Los que más hablan son los peores.

—Creí que estábamos en el mismo bando —dijo Olivos. En su voz había una mezcla de sorpresa y pesar.

—No me hagas caso. Cuando estoy cansado digo cosas de las que después me arrepiento.

Cambell y Olivos se miraron confundidos. Ninguno de los dos dijo nada ni me siguió cuando caminé hacia la salida. La noche estaba fresca y la calle invitaba a caminar sin rumbo, guiado simplemente por las luces de las fuentes de soda y los bares que permanecían abiertos. Frente al bar había un taxi detenido. El chofer hizo una seña, animándome a subir en el vehículo. Le hice un gesto vago con una de mis manos y el hombre perdió interés en mí. Encendí un cigarrillo y di los primeros pasos en dirección a la Plaza Italia. Tenía ganas de beber otra copa, a solas. Pensé en un cabaré donde años atrás solía esperar a una mujer cuyo nombre emergía de la bruma cada vez con menos frecuencia. No tuve suerte. El cabaré estaba clausurado por el Servicio de Impuestos Internos y a su alrededor la sombra de un parque destrozado cubría un sinfín de hoyos profundos.

—Cigarrillo, jefe —oí que me pedía un hombre, al tiempo que emergía desde el interior de un gordo tubo de cemento. Vestía un abrigo varias tallas más grande que su cuerpo y bajo éste, una colección indescriptible de andrajos sucios y descoloridos. Sus pasos eran vacilantes, como si hubiera estado a medio camino en el cruce de una cuerda floja.

Le di un cigarrillo y al encenderlo vi su rostro barbado, cubierto de costras mugrosas e irrenunciables como el brillo azul de sus ojos.

—Si busca mujeres, está en la ruta equivocada, jefe. Cerrado hasta nuevo aviso —dijo, indicando la puerta del cabaré—. Vaya hasta la entrada de la Alameda. Hay un sitio donde puede encontrar un buen panorama.

—Busco un trago —dije.

El hombre me estudió un instante antes de volver a hablar.

—¿Qué le parece una gota de esta pócima? —preguntó sacando del abrigo una caja de vino—. La primera ronda va por cuenta de la casa y las otras, son suyas.

Nos sentamos en el borde de una escalinata y el hombre me alargó la caja de vino. Bebí un trago y sentí el caprichoso recorrido del alcohol hacia mi estómago.

—Montes —dijo, ofreciéndome una mano que estreché sin reparo.

—«Motorcito» Montes —dije, reconociendo en el extraño a un púgil que había visto en los diarios, en reportajes que se referían a su pelea por el título sudamericano del peso gallo, en la misma época en que Martín Vargas combatía con Miguel Canto. Después, años más tarde, alguien me lo había señalado en el restaurante *Sena* de la calle San Diego, deambulando entre sus parroquianos a la búsqueda de una caña de vino, a cambio de recuerdos pugilísticos que se confundían en el desorden de una cabeza que había recibido demasiados golpes.

Los ojos del hombre se iluminaron. Saqué unos billetes y se los pasé.

—Qué tal si aumentamos la reserva —le dije, mostrando la caja de vino.

—¿Piensa quedarse toda la noche?

—¿Conoce otro lugar mejor?

Montes sonrió mostrando unos dientes amarillos y sucios. Se puso de pie y comenzó a caminar con lentitud.

—Quince minutos, jefe. Nada más que quince minutos y vuelvo —dijo, alzando sus brazos al cielo, como si hubiera subido en ese momento a un ring.

—Espero. No todas las noches se conoce a un campeón —grité, antes de beber otro sorbo de vino y verlo desaparecer entre las sombras.

6

Desperté con el ruido que provocaba la lluvia al chocar contra la ventana. Un sonido pausado, de gotas gruesas e intermitentes que golpeaban sobre los vidrios, como si fueran los dedos de un extraño que teme importunar. Estaba en el dormitorio, boca abajo sobre la cama, abrazado a la almohada. De la noche anterior recordaba el momento en que Montes ofreció su abrigo para protegerme del frío, un poco antes que él se recostara sobre uno de mis hombros, como un niño cansado que deseaba dormir acompañado del ángel bueno. No tenía memoria del regreso a casa. Miré el reloj que tenía encima del velador, junto a un ajado ejemplar de *El fin de la aventura* de Graham Greene y una caja de aspirinas. Eran las siete de la tarde y la primera lluvia del mes de abril caía, lavando las calles y el aire recargado de esmog. A través de la ventana observé los carrerones de las personas que buscaban refugio en las entradas de las tiendas, y el paso raudo de los vehículos que hundían sus neumáticos en los charcos formados al borde de la acera.

Me dolía la cabeza y restos de vino ácido sobrevivían en mi boca. Simenon dormía a los pies de la cama, abrazado a mis zapatos y a una corbata listada que en su ratos de ocio perseguía por el piso del departamento, en un juego que simulaba sus antiguas cacerías por los tejados del barrio. Pasé a su lado sin molestarlo y salí a la calle.

Santiago revive con cada lluvia y esa tarde de sábado no era la excepción. Llovía al compás de un piano tristón y de las ventanas de los bares salía una luz rojiza que se confundía con la bruma de la calle. Parecía una ciudad semidesierta, en la que sólo quedaban unos pocos testigos de su destrucción. Muchachas que apegaban sus caras en los vidrios humedecidos de las vidrieras; maniquíes risueños que conversaban entre sí; guardias de casas comerciales que atisbaban el horizonte. Gente anónima. Y detrás de los cristales, Santiago. Sus calles deshilachadas y la faz gris de sus edificios.

Caminé hasta la Plaza de Armas y luego de recorrer el Portal Fernández Concha, olvidé una vieja promesa a mí mismo y entré al *City Bar*, sin imaginar que junto a una mesa y acompañada por dos copas de Pernod, estaba Griseta. Jugaba con una servilleta de papel entre sus dedos, y sus ojos parecían alertas a los movimientos de la barra, donde tres clientes bebían una cansada botella de vino. Di unos pasos hacia su encuentro y ella, reconociéndome, alzó la cabeza, echó la cabellera hacia atrás y me regaló su sonrisa de los buenos tiempos.

—Sabía que vendrías —dijo mostrando las dos copas que tenía sobre su mesa.

—¿Qué haces aquí? —pregunté, al tiempo que me sentaba frente a ella.

—Estaba sola y recordé que fui antipática contigo la última vez que hablamos. Pensé en una disculpa y me dije: En una tarde de lluvia, Heredia irá al *City*. Y ya ves, no me equivoqué. Debe ser el azar.

—El azar y el amor —dije.

—Llámalo como quieras. Deseaba verte —dijo Griseta—. ¿Cómo estás?

—Tras las cosas inútiles de costumbre.

—Te ves cansado.

—Eso es algo que no tiene remedio.

—¿Mucho trabajo?

—Desde que volví de la playa no he tenido ningún cliente. Sigo sin ser un partido interesante para las muchachas casaderas.

—¿Qué piensas hacer?

—Confiar en la suerte o deambular por aquí y por allá.

—El plato fuerte de nuestras discusiones. ¿Por qué no intentas algo distinto? No, no me digas nada, es tarde para cambiar. Esa es una de tus frases favoritas.

—Mejor hablemos de ti.

—Es difícil trabajar y estudiar al mismo tiempo, pero todo van saliendo bien. He sacado buenas notas y tengo algunos nuevos amigos entre mis compañeros de estudios. Gente tranquila con la que me junto a estudiar o para ir al cine los fines de semana. Estoy contenta, Heredia. Al fin tengo una oportunidad y la pienso aprovechar.

—¿Sigues sola?

—De lo contrario no estaría aquí.

Miré sus labios y tuve ganas de besarlos. Ella, suavemente, tomó mis manos entre las suyas y las acarició.

—Las viejas, grandes y sabias manos de Heredia —dijo, y luego, mirándome a los ojos, agregó—: Las extraño, cada noche las extraño.

Sonreí y busqué refugio en un sorbo de Pernod.

—Pero no te ilusiones, Heredia.

—¿No?

—No —repitió ella y sonrió, coqueta.

—Me haces sentir como un liceano torpe y lleno de granos.

—¿No te gusta?

—Es una prueba difícil para un tipo cansado.

—Sólo dime que lo entiendes.

—Hoy juntos, mañana nada. Lo entiendo, pero me siento como un personaje de Osvaldo Soriano, que juega al truco sus últimas ilusiones y las pierde.

—Llévame a otro lugar —pidió Griseta, al tiempo que colocaba mis manos sobre su rostro—. A cualquier parte que no sea tu departamento. Se me haría difícil volver a salir. Y también dime esos versos en que estás pensando.

—¿Versos?

—Te mueres de ganas por decir una de tus malditas citas.

Mantuve silencio. La lluvia seguía mojando las calles y abrazado a Griseta la oí caer sobre el techo del hotel al que entramos después de salir del *City Bar* y caminar hacia la Alameda, rumbo a la calle San Francisco, donde un edificio de puerta estrecha esperaba a los amantes que buscaban refugio.

Estábamos en silencio, después de hacer el amor y de sonreírnos al final de ese camino que habíamos aprendido a recorrer en otras tardes.

Acaricié su espalda y ella abrió los ojos.

—¿Cómo se pone fin a esto? —preguntó.

—Alguna vez te lo dije. Di, adiós Heredia, y bastará.

—No es tan simple.

—Pero es un comienzo.

—Prometes no llamarme ni ir a mi casa.

—Que el azar sea lo único que nos una. Como hoy, como la tarde aquella en que llegaste a mi oficina.

—Si un día cambio de opinión, ¿podré encontrarte de nuevo?

—Eso nadie lo sabe.

—¿Entonces?

—Cada vez que llueva correré hasta el *City Bar*.

—Y tal vez me encuentres.

—Y tal vez te encuentre.

Griseta se levantó y comenzó a vestirse lentamente, como si al hacerlo hubiera estado recordando una lección aprendida con esfuerzo.

—Me iré sola. No quiero que me acompañes —dijo.

La vi entrar al cuarto de baño y salir luego de unos minutos. Se había arreglado los cabellos y en su rostro se reflejaba la misma seguridad de la tarde en que me dejó en la playa.

—¡Cuídate!

—Cuídate —repitió.

No dije nada más. La amaba demasiado como para clausurar esa tarde y borrar con una palabra el

207

color de sus ojos que imaginé llorosos y turbios a medida que se iba alejando bajo la lluvia alocada e insensible. Aprisioné mi rostro contra la almohada y en la súbita penumbra, creí escuchar el reclamo de un hombre solo.

7

—Cada día te ves peor —dijo Simenon, mientras observaba el espejo en que se reflejaba mi rostro.

—Nadie pidió tu opinión, gato metiche.

—Soy tu conciencia, Heredia. Lo que va quedando de ella.

—No jodas, Simenon. Me termino de afeitar y te sirvo una ración de wiskas —dije mientras revolvía el hisopo sobre un reblandecido pan de jabón.

—Preocúpate de las tarjetas que deslizaron bajo la puerta. En una de esas son de clientes que pueden financiar dos gruesos filetes. Estoy aburrido de esa mierdosa comida chatarra que me das a diario.

—Las vi al llegar. Una es de un vendedor de autos y la otra, de un tal Molinari, que parece ser el dueño de una empresa de máquinas agrícolas y está preocupado por algo que no señala.

Cubrí mi rostro de jabón y deslicé sobre él los filos gastados de una Prestobarba.

—¿Cómo te sientes?

—Tengo la impresión de haber subido una montaña para comprobar que al otro lado de ella no hay nada. Igual que siempre. La mañosa diferencia entre lo que uno quiere y la realidad.

Simenon bostezó y con pasos lentos salió del baño en dirección a la cocina. Saqué los restos de jabón que sobrevivían en mi cara y lo seguí. Le serví comida en una escudilla enlozada y puse a hervir agua con la idea de tomar un café. Después fui a la oficina y me senté junto al escritorio a leer un ejemplar antiguo de la revista Ci*moc*.

Cuatro segundos antes que hirviera el agua, sonó el teléfono.

—¿Dónde se había metido? Lo llamé toda la noche —escuché decir a Bernales—. ¿Se encuentra bien? ¿Tuvo problemas?

Parecía preocupado por mi suerte y se lo agradecí sin responder directamente a sus preguntas.

—¿Tiene tiempo para un café? Hay un par de cosas que me gustaría comentar con usted, Heredia.

—Uno, dos, los que quiera. Lo espero —dije y corté la llamada, apremiado por el ruido que hacía la tetera en la cocina.

Tres minutos más tarde, regresé al escritorio con un jarro de café y marqué el número telefónico de Molinari. Una voz con claro acento italiano respondió al otro lado de la línea.

—Usted no me conoce, pero yo tengo buenas referencias suyas. Llega una sobrina de la Italia y temo que pueda sucederle algo. Va a querer salir con mis hijas, aquí, allá, quién sabe dónde. Quiero que usted las cuide.

—¿Cuándo llega?

—De aquí a un mes. Quise llamar pronto por si usted estaba muy ocupado.

—Hizo bien. Suelo tener múltiples compromisos.

—¿Puede ayudarme?

Bebí un sorbo de café antes de responder que sí.

—No sabe el alivio que me da —dijo Molinari.

—Cincuenta mil diarios y los gastos aparte —dije—. Si está de acuerdo, sólo dígame el día y la hora en que me necesita.

—No se preocupe, el dinero no es problema —respondió Molinari y pensé que era uno de esos tipos que después de contar sus ingresos, aseguran que el dinero no hace la felicidad.

—No me preocupa. Sólo tengo la mala costumbre de comer todos los días.

—Lo llamaré con una semana de anticipación —agregó Molinari.

—Bien, ya conoce mi número.

Anoté su nombre en el calendario de tres años atrás que había sobre el escritorio, y en el cual solía escribir cosas que más tarde no lograba descifrar. Para matar el tiempo mientras esperaba a Bernales, revisé algunos libros que estaban en los estantes de la oficina, apilados unos contra otros, sin orden ni cuidado. Dejé pasar por mis manos unos poemarios de Eliseo Diego y Juan Gelmann. Al final, abrí un libro de Esteban Navarro y leí un verso que decía: «*Y toda nuestra compañía es la seducción del desamparo*».

Cuando Bernales llegó, le ofrecí un tazón de café y nos sentamos alrededor del escritorio, apesadumbrados y pensativos, como dos hípicos sin fortuna. Bernales endulzó su café y miró a su alrededor. Evitaba mirarme a los ojos, y por un instante, mientras encendía un cigarrillo, pensé que era un hombre que luchaba consigo mismo.

—Aquí me tienes —dije amistoso—. ¿Para qué deseabas conversar conmigo de manera tan urgente?

—Estaba preocupado, eso es todo.

—Creí que había saltado la liebre y la traías agarrada de las orejas.

—No he podido dedicar mucho tiempo al asunto, Heredia. Debí preparar el informe del mes y supervisar la captura de tres tipos que vendían coca en el sector de la Vega. Tres obreros municipales encontraron una bolsa de cocaína en el río Mapocho y comenzaron a venderla a bajo precio. Ese fue el error. En el barrio se corrió la bola, los tipos se hicieron populares y el cuento pronto llegó a los oídos de uno de mis colegas. Los pillamos con varios kilos de mercadería bajo el colchón.

—El hilo siempre se corta por la parte más delgada. Caen tres miserables que sólo querían comer y los tiburones siguen sebándose en su pecera.

—Se hace lo que se puede.

—En este país siempre se hacen las cosas hasta donde se puede, en la medida de lo posible o del algo es algo, peor es nada. Nadie se juega a fondo ni termina bien lo que comienza. De ahí a los triunfos morales sólo media un pequeño salto, suave y remolón, para no molestar al mandamás de la escopeta o la chequera.

—¿Quiere volver a la misma discusión de la otra tarde?

—Gente que sólo se mira al ombligo y todo, hasta la decencia, lo transan por moneditas en el mercado.

—Me tiene podrido con ese tema, Heredia.

—Es probable que sea así. Hablemos de lo que nos une —dije.

Busqué una petaca de whisky que tenía escondida tras el libro «Mis Grandes Poemas» de Pablo de Rokha; distribuí su contenido por partes iguales en dos vasos y alcancé uno al policía.

Bernales obedeció como un alumno aplicado y cuando hubo vaciado su copa recuperó su compostura habitual.

—Investigué a los hombres que usted identificó y no saqué mucho en limpio —dijo—. Darío Mendezona, tal cual le había dicho antes, trabaja como jefe de personal en una empresa constructora. Hablé con él y salvo que me equivoque, está retirado de todo lo que tenga que ver con su antiguo oficio. Pasa sus días sacando puzzles y revisando las tarjetas de los operarios. Ocaranza, al que yo creía más peligroso, está en una clínica de reposo. Tuvo un coma diabético y le amputaron la pierna derecha. En cuanto a Diocares, no he podido dar con él. Conversé con algunos colegas que lo vieron hace tres o cuatro meses atrás y dicen que está en otra cosa.

—Diocares es socio de la agencia Rangers.

—¿Cómo lo supo? —preguntó Bernales, delatando una repentina preocupación.

—Seguí el camino más simple: la guía de teléfonos.

—Debí pensar en esa posibilidad.

—Cada investigación tiene sus detalles. Es una vieja enseñanza de Dagoberto Solís. Hay que investigar el medio donde se comete un crimen, los posibles intereses en juego y a la gente que aparece relacionada: víctimas, sospechosos, testigos. Nadie está libre de llevar sobre sí un pedazo de la verdad. El resto es un asunto de lógica y de suerte.

—Cree que el asaltante fue Diocares.

—Si está estirado y de buen ver, dudo que haga trabajos sucios. Lo importante es que cualquier día de éstos podemos conversar con él.

—Ordenaré que lo investiguen.

—Si lo crees conveniente —dije, sin mucho entusiasmo.

—¿No le queda otro trago? —preguntó Bernales, algo más relajado, como si alguien le hubiera sacado un peso de encima.

—Sólo la imaginaria.

—¿Cómo es eso?

—Una botella de vodka que conservo en el velador y que nunca toco.

—¿Qué sentido tiene?

—Me lo enseñó un amigo. Tenía prohibido beber. Un día lo sorprendí comprando una botella de vodka en el supermercado. Hablamos de su prohibición y me dijo que no iba a beber, pero que al saber que tenía un trago cerca, se sentía más seguro.

—¿Podemos hacer una excepción?

—Si quieres otra copa, vamos al boliche de la esquina.

—Nunca voy a entenderlo, Heredia.

—Uno debe respetar sus códigos.

—Iremos al boliche, pero antes quiero que sepa que el Laboratorio de Criminalística analizó los proyectiles que hirieron a Gordon. El asesino uso una Colt calibre cuarenta y cinco.

—Lo tendré en cuenta la próxima vez que alguien me apunte.

213

8

Bernales bebió una última copa y después regresó a su oficina. Lo vi alejarse y pensé en su permanente interés por la investigación. Él no hacía mucho por avanzar, pero estaba atento de mis pasos, como si temiera que por un descuido, yo me quedara con la gallina de los huevos de oro. Había algo en la conducta del policía que no cuadraba con sus afectos.

En ese momento no supe pensar en nada, así que guardé mis ideas en el archivo de las dudas y pedí una cerveza. En el turbio dorado presagié una tarde sin sobresaltos y aburrida, a la que debía quebrar la mano, antes que el desánimo me hiciera recorrer las huellas de otras copas. Recordé a las amigas de Anselmo y por algunas horas decidí olvidar a Gordon y el misterio que rodeaba su muerte.

Subí al Chevy y después de alimentarlo con tres mil pesos de gasolina, orienté el ronronear de su motor por Independencia al norte. Me detuve frente a una florería y pregunté por la calle Olivos. Una mujer desgastada y de rostro sombrío me indicó que siguiera derecho y al llegar a los muros del Cementerio General doblara a la derecha. Cinco minutos más tarde entré a un pasaje de casas de adobe a punto de caer al suelo. En un bolichito de verduras pregunté por la tía del Pitico, y un hombre al que le faltaban varios dientes, indicó de mala gana una casa de muros deslavados.

Toqué a una puerta añosa y por un momento temí que fuera a caer al suelo, convertida en un amasijo de astillas, polvos y telarañas. Abrió una morena que vestía pantalones vaqueros y una polera apretada a su cuerpo, como una segunda piel destinada a proteger la perfecta poesía de sus pechos.

—¿Sí? —preguntó alargando el sonido de las letras, tanto como se lo permitían sus labios rojos.

—Busco al Pitico —dije.

La miré a los ojos y luego recorrí su cuerpo haciéndole sentir que mis manos la acariciaban de un modo secreto y maligno.

—Hace varias semanas que ése no viene por acá —dijo, despectiva—. Debe andar con plata, de lo contrario ya habría venido a sacar unos veintes a la tía.

—Lástima —dije sin dejar de acariciarla con la mirada.

—¿Le debe algo?

—Le traía un recado de algunas amigas comunes.

—A usted no lo veo con amigas como las que tiene Pitico.

—¿Y cómo cree que son mis amigas?

—Explicárselo puede ser algo largo.

—Tengo tiempo —dije, esgrimiendo el acero afilado de mis malas intenciones.

—¿Quiere pasar? —preguntó ella, indicando la sombra que emergía a sus espaldas.

—Quiero.

—En una de esas aparece el Pitico.

—En una de esas...

—Me llamo Valeria.

—Lindo nombre.

—¿Y tú?

—Heredia. Así me llaman cuando no me insultan.

—¿Me vas a contar para qué quieres a Pitico?

—Creo que ya lo olvidé —dije, observando sus pechos que se agitaban con entusiasmo.

9

Pitico no llegó esa tarde. Tampoco lo hizo al anochecer ni por la mañana, cuando dije adiós a Valeria y a su alocada manera de hacer el amor en un cuarto húmedo y sin ventanas, hasta el cual llegaba el monocorde rumor del programa radial que su tía escuchaba en la pieza vecina.

No le prometí volver ni ella lo pidió. Simplemente le dije adiós con la ternura de un amante cansado, y regresé a mi oficina sin pensar en el motivo que me había llevado al encuentro de una noche fortuita.

En el departamento esperaba un Anselmo que sonreía de oreja a oreja, alegre como si hubiera ganado el programa completo de carreras en el Hipódromo. Lucía recién afeitado y la risueña expresión de su rostro daba a entender que su cita con Madame Zara había tenido la magia de un gol de media cancha y que sus días de soltero, a pesar del fracaso de dos matrimonios anteriores, podían llegar a su fin. En definitiva, el suplementero era un optimista sin remedio. O, como solía decir Cambell: el hombre y el burro son los únicos animales que tropiezan dos veces con la misma piedra.

—¿Madrugó o se enredó en alguna piel ajena?

—Las dos cosas, Anselmo. Y tú, ¿por qué tienes esa sonrisa de mono satisfecho?

—Hay cosas que un caballero no comenta, don.

—Hasta dónde yo sé, en esta oficina hay un gato y dos atorrantes.

—Si quiere le cuento...

—No quiero saber nada que me haga cómplice de un crimen.

—Al diablo con usted, don. Todo lo ve en blanco y negro. Sólo lo esperaba para contarle que llamó un periodista de apellido Cambell. Dijo que necesitaba hablar con usted.

En lugar de llamar a Cambell, preferí llevar a su oficina una copia del artículo sobre Pitico y las viejas a las que robaba. Eran tres cuartillas escritas a la rápida y esperaba que Cambell las aceptara sin reparos. Al inicio, había descrito la imagen de los viejos mientras esperaban el pago de sus empeños, luego mencionaba a Pitico con epítetos que iban de las hienas a los chacales, y terminaba con sentencias morales que supuse del agrado de Cambell.

Al igual que en mis visitas anteriores, el periodista estaba atrincherado tras su computador. Con una mano tecleaba y con la otra sostenía el teléfono, mientras reprochaba a alguien el incumplimiento de plazos y condiciones. Los huesos de su rostro parecían acentuados a causa de unas ojeras lastimosas y junto al teclado que aporreaba, había un cenicero atestado de colillas y una taza de café que, a simple vista, parecía aguado y frío.

Hizo una seña para que me sentara frente a él y de reojo, leí el título del documento que redactaba: «Informe agropecuario al inicio de la década de los noventa, un enfoque sistémico, integrado y de interpretación múltiple».

—¿Desde cuándo eres un experto en agricultura? —pregunté cuando terminó de hablar por teléfono.

—Pagan bien y los que encargan el trabajo no saben mucho más que yo. He creado una base de estilo y frases comunes que permiten redactar informes, boletines, cartillas o memorias sobre los más variados temas. Hoy estoy escribiendo sobre el agro, ayer lo hice acerca de la construcción de hospitales y para la otra semana tengo contratado un boletín sobre actividad naviera. Y, entremedio, lo que me interesa, la revista.

—Al lado tuyo, Balzac es una alpargata vieja.

—Él escribía en la época de la pluma, no en la de estas máquinas iluminadas —dijo Cambell, acariciando con ternura los costados del computador—. Lo único que nos une es que ambos escribimos asediados por los acreedores.

—Veo que la comparación te agrada.

—Soy un ganapán de las letras —respondió Cambell, sonriendo—. Y tú un cabrón al que deseaba contar algunas cosas.

—A eso vine.

—Existe el teléfono. Podías haberte ahorrado el viaje.

—Quería entregarte estas notas —dije, al tiempo que dejaba mi proyecto de artículo a su alcance. Cambell lo leyó a la rápida, y al igual que unos días atrás, al terminar, movió la cabeza y dejó caer los papeles sobre el escritorio.

—La retórica apesta y están llenas de adjetivos.

—Tu estímulo es conmovedor.

—Quítale las palabras que están de más y tu texto será como un atleta, ágil y libre de grasas. Y ahora, hablemos de cosas importantes.

—Gracias una vez más.

—¿Recuerdas que hablamos de Abelardo Pérez, el «Buitre»? Fuimos compañeros en la Escuela de Periodismo de la Universidad de Chile. El apodo se lo ganó por su afición a consolar a las minitas que peleaban con sus pololos. Abelardo se hacía el comprensivo y mientras duraba la pena de las muchachas sacaba sus dividendos e intereses. Antes del golpe militar era comunista y después de diez años de exilio en Europa, volvió convertido en cualquier cosa. Estuvo un tiempo en Polonia y luego en la República Democrática Alemana. Cuando intuyó que los ladrillos del Muro comenzaban a desmoronarse, cruzó la frontera y terminó casado con una alemana viejona y adinerada, que le ayudó a regresar a Chile e instalar una compraventa de vehículos. Su cambio de aire en Europa también lo

218

aprovechó para efectuar su reconversión política y allegarse a los políticos chilenos que planeaban la transición a la democracia en París. Ahora trabaja en La Moneda y cuentan que utiliza sus conocimientos para vender primicias a los reporteros. Pelambrillos de oficinas, información que flota en el aire, raspacachos ministeriales. Cualquier dato que los periodistas sacan a relucir en las conferencias de prensa o usan en sus secciones informales. Pérez es un oportunista. Pero si uno hace abstracción de su historia, puede llegar a pensar que es un tipo simpático, aunque algo fanfarrón, sobre todo después que bebe dos copas de más.

—A tu cuento le sobran palabras, Cambell.

—Un breve rodeo antes de llegar al núcleo vital nunca está de más. En concreto, quería contarte que llamé a Pérez. Conversamos de esto y lo otro, y bebimos unos tragos para recordar los tiempos en que éramos muchachos felices y utópicos. Al tercer copete puse sobre la mesa el tema del gasoducto y saltó como una liebre. Pérez sabía muy bien de qué estaba hablando. El acuerdo entre los gobiernos de Chile y Argentina, la pugna entre empresas chilenas y extranjeras. Más ventas para los argentinos y gas barato para nosotros. Un ahorro equivalente al gasto anual del Estado. Conceptos, cifras y decires. El tema no tiene misterio para él.

—Basta leer los diarios para saber eso.

—Déjame terminar, Heredia. Al parecer el tema inquieta en los pasillos ministeriales y han dado instrucciones de trabajar con la prensa para bajarle el perfil. Y no sólo eso. Circuló una pauta para aquietar los ánimos y evitar que el tema ocupe titulares. Cuando le hablé de Gordon se trapicó con la bebida. Quiso saber mis ideas respecto a su muerte y al mencionarle la posibilidad de cierto informe, se puso grave y recomendó no escribir una línea sobre el asunto.

—Y las instrucciones, ¿de dónde salieron?

—No lo dijo. Supongo que son de un nivel respetable.

—Morir en la rueda es la consigna.

—Y apurar la licitación del gasoducto.

—Como marco general no está mal. El asunto está en saber nombres. Juan mandó a Pepe, y éste a Lucho, el que a su vez se encargó del finado Gordon. El problema es que no tenemos esos nombres ni una razón clara. Salvo que estemos frente al viejo juego del tú me ayudas a saltar el muro y yo pongo algo de sencillo en tu cartera.

—Me cuesta pensar en algo así. Mal que mal…

—Una tentación cualquiera la tiene.

—La cosa es saber quién o quiénes son.

—Prefiero pensar en las razones —dije, al tiempo que bebía un sorbo del café de Cambell. Sabía a alquitrán azucarado y tuve que controlarme para no escupir sobre el computador.

—Sabe a mierda, pero mantiene despierto —comentó Cambell.

—Un martillazo en el dedo gordo también sirve.

—Te doy información para que pienses y te preocupas de un detalle insignificante.

—Lo hago, Cambell, pero no consigo que dos más dos sumen cuatro.

—Tengo otras ideas para que cuadre tu contabilidad.

—¿Qué dices?

—Dosifico el material…

—Te escucho.

—He pasado buena parte del día en esta oficina —dijo Cambell sin hacer caso a mis palabras—. Llegó la hora de comer, Heredia.

—Gordon jugaba un rol importante en el futuro del gasoducto. Su informe era la base del dictamen que debe emitir la Contraloría sobre la legalidad del proyecto —dijo Cambell luego de masticar el último trozo del filete con champiñones que había pedido después de estudiar con detención el menú.

Habíamos caminado unas cuadras hasta llegar al restaurante donde Cambell tenía cuenta abierta a cambio de la publicidad que incluía en su revista. El lugar estaba lleno de tipos que comían como si el fin del mundo fuera una cosa de horas, y nosotros los imitamos apenas un mozo, de sombrero y casaquilla de huaso, nos puso sobre la mesa un platillo repleto de pan amasado y sopaipillas del tamaño de un botón.

—Hablé con Mujica —agregó Cambell mientras se zampaba un trozo de pan untado con mantequilla y unas gotas de ají que había dejado caer sobre el improvisado canapé—. El procedimiento a seguir dentro de la Contraloría era el habitual. El caso lo asumía la División dirigida por Adelina Dupré, y dentro de ésta, se le asignaba a uno de los auditores. Según Mujica, que le asignara el informe a Gordon no fue extraño. Tenía experiencia y estaba habituado a estudiar aquellos temas complejos, a los que otros auditores solían hacer el quite.

—La abogada Dupré y Gordon deben haber comentado el informe antes que el finado le diera la redacción final.

—Mujica dijo que eso es lo normal. El profesional a cargo de un informe analiza con su jefe los términos de la redacción, sus aspectos legales y las consideraciones a invocar para dictaminar a favor o en contra. Lo mismo ocurre cuando se realiza una investigación sumaria y es necesario establecer los cargos. Una vez que ambos están de acuerdo, redondean el escrito y proceden a despachar el informe.

—Eso significa que la Dupré estaba al tanto de lo que pensaba Gordon sobre el asunto. Y si el informe se perdió al llegar a su oficina, es obvio que contenía algo que no era de su agrado.

—Salvo que la abogada sea inocente y otras manos hayan intervenido en el trayecto del informe.

—¿Qué dice Mujica acerca de las conclusiones del informe?

—Corren rumores de todos los calibres. En un Servicio Público, lo que se sabe se cuenta y lo que no, se inventa. Dice que el escrito final estaría entregado al Contralor.

—Lo que quiere decir que la muerte de Gordon no afectó su entrega.

—Gordon dejó el informe bastante avanzado.

—Pero se perdió y lo que yo leí es sólo un fragmento. Entonces, ¿qué informe estaría en manos del Contralor? ¿El que hizo Gordon? ¿Otro redactado en el camino para salvar las apariencias?

—¿En qué estás pensando, Heredia?

—En una mujer altanera y difícil de abordar —dije, y luego de una pausa para beber un sorbo de vino, agregué—: Pero estoy pensando en un diálogo largo y civilizado.

—Si de algo te puede servir un consejo, lo mejor es que dejes todo en manos del policía Bernales.

—Hace unos días, antes que me balearan, habría hecho eso. Pero ahora es un asunto personal. Está en juego mi pellejo y el recuerdo de un hombre que tuvo miedo y fue a morir a un cuartucho de hotel que no le correspondía.

—Heredia, el rey de los cabezas duras.

—A mi edad ya no voy a cambiar. Lo he dicho tantas veces que he llegado a convertirlo en ley.

—Allá tú.

—Tendrás una buena historia para publicar.

—Amén —dijo Cambell y llamó a un mozo para pedir otra copa.

11

No deseaba beber más de lo necesario y como Cambell tenía ganas de esperar el amanecer en el restaurante, antes de la medianoche lo dejé a solas con su recuento de trabajos pendientes y una cuenta que excedía mi capacidad para las matemáticas. Mientras conducía hasta el departamento, pensé en las justificaciones que había dado a Cambell y todas ellas me parecieron falsas. La muerte de Gordon era un pretexto para ocultar el fracaso de unos días sin suerte. Y en cuanto a los balazos, ellos me importaban tanto como las disputas de los vecinos o las alzas en los precios de venta del plutonio. Que alguien tratara de hacerme daño no era diferente a la molestia que me ocasionaban los imbéciles que barrían las veredas por las mañanas o la prepotencia de una secretaria que examinaba mi aspecto antes de decidir si me trataba como señor o en calidad de pordiosero.

El mundo cambiaba de prisa y yo me resistía a cambiar con él, aferrado a una ciudad tranquila, con bares cuyas mesas fueran de madera, vehículos antiguos y trenes que llegaban siempre atrasados. Un nuevo siglo se acercaba y me preguntaba por mi lugar en una ciudad dividida entre barrios custodiados y luminosos, y otros arrabaleros, de cuyos rincones salía cada mañana una caravana de seres resignados. Era un extraño en mis propias calles y recorrerlas era un ejercicio cada vez más exigente para la memoria. Mi barrio cambiaba; crecían edificios nuevos, antenas y avisos de neón que ocultaban el azul del cielo. La vieja cárcel había sido demolida y en su reemplazo se alzaban dos torres de concreto. A diario los instrumentos de comunicaciones eran mejores y sin embargo, la gente cada día estaba más incomunicada y sola. La perfección de lo nuevo contenía un inevitable sentimiento de pérdida y las banderas de la rebeldía se arriaban en beneficio de la conformidad.

Dejé que el Chevy se bamboleara entre los hoyos del asfalto y cuando llegué al departamento me tendí sobre la cama. Sin ánimo para desvestirme di entrada al sueño y una pesadilla en la que estaba solo, en baldíos o sitios cubiertos de basura. Buscaba algo y a medida que mis manos se llenaban de una masa viscosa, mi rostro iba perdiendo sus rasgos. Entonces volví del sueño. Una luz tenue entraba por la ventana del dormitorio y a los pies de la cama, Simenon dormía sin sobresaltos. Lo llamé en voz alta y cuando abrió los ojos descubrí que a mi alrededor todo seguía igual. Simenon se apegó a mi lado, lo acurruqué junto a mi pecho y cuando oí sus ronquidos, despedí las preocupaciones y volví a dormir.

Desperté con el ruido de los golpes que alguien daba en la puerta del departamento. Cuando conseguí incorporarme reconocí el acento confuso de Ballinger que gritaba mi nombre a voz en cuello. Avancé hasta la puerta y la abrí para dejar paso al gringo que, apremiado por algo que ni siquiera él debía comprender, entró con la suavidad empecinada de una ventolera.

—¿Qué clase de detective eres? Vengo a las diez y nadie responde. A las doce, igual. Ahora son las tres de la tarde y de no ser por el hombre del quiosco que me aseguró que tú estabas aquí, yo me regreso a mi casa y adiós Heredia —dijo Ballinger mientras colgaba el morral de lona que traía en el respaldo de una silla.

—Necesitaba dormir.

—Mucha farra.

—Eso a ti no te debe importar, gringo.

—Verónica envió ayer un fax. Dice que regresa

la otra semana. Yo estaba aburrido y me dije: voy a visitar a mi amigo Heredia.

—Siéntate —le dije sin entusiasmo.

El gringo ocupó una silla, sacó del morral ocho latas de cerveza y las ordenó sobre el escritorio.

—Hablé con Bórquez —dijo—. Está preocupado por la inminente construcción del gasoducto. Pero no gana mucho con lo que hace por la causa. Declaraciones de prensa, charla con políticos y hombres de gobierno. Sólo se dedica a patalear. Le propuse romper las máquinas que la empresa constructora ya instaló para iniciar los canales por donde pasará el tendido del gasoducto. Podríamos ir de noche y robar algunas piezas de los motores. El no me hizo caso. Me trató de gringo loco y anarquista.

—¿De qué máquinas hablas?

—Bórquez me contó que la autorización para construir ya está aprobada y que por eso, la empresa interesada ya está moviendo sus máquinas.

—Eso quiere decir que el tiempo corre —pensé en voz alta.

—¿Corre? ¿Para qué?

—Nada. Negocios que demoraría en explicar.

—Tengo tiempo y paciencia —respondió el gringo.

Tomé una de las latas y la moví entre mis manos.

—¡Bebe, Heredia!

—No —dije, resuelto—. Voy a contarte ciertas cosas y luego, mientras se me ocurre alguna idea nueva respecto de Gordon, saldré a buscar un poco de acción.

12

El billar *Mallorca* estaba en la calle Arturo Prat, a dos cuadras de la Alameda y del *Club de la Unión*. Era un lugar oscuro que había tenido su momento de gloria en los años sesenta y sobrevivía como salón de tercera, brumoso y con las paredes impregnadas de vahos alcohólicos y sebo. Lo había visitado diez o doce veces en el pasado y sabía que sus clientes habituales eran los empleados que trabajaban en las oficinas y tiendas del sector, y que algunos coqueros lo ocupaban como sitio de reunión o para reducir las mercaderías que robaban los chicos malos de siempre. Su dueño era un gordo parecido a Orson Welles, que pasaba el día entero junto al mostrador, observando a los jugadores, bebiendo té con masitas y fumando puros que olían a bosta.

Obligué al gringo a cruzar a pie el centro de Santiago y como último respiro antes de enfrentar al *Mallorca*, lo invité a tomar una cerveza en la *Unión Chica*. Saludé al mozo que servía tras el mesón y miré hacia la mesa en que años atrás solía conversar con Rolando Cárdenas y Jorge Teillier, dos poetas amigos que me admitían en su mesa, y a los que oía charlar de poesía y fútbol sin importarme el paso de las horas ni que el vino, como decía Cárdenas en uno de sus poemas, «*corría ligero como un alguacil*». Teillier había muerto cuando me encontraba en Las Cruces y a su sepelio en La Ligua concurrí en la compañía de media docena de poetas jóvenes pertenecientes a un ateneo de la zona. Habían pasado varios meses de eso, y aún en mi memoria resonaban las paletadas de los panteoneros que tapaban su cuerpo con una tierra roja y seca, mientras alrededor de la fosa unos muchachos lloraban y una pareja de mapuches hacía brotar los sones de una trutruca. Al ver su mesa pensé que seguía desierta a la espera de que él llegara. Pero todo fue pasajero. Regresé los recuerdos al rincón del corazón donde se guarda lo que más se ama y empujé a Ballinger hacia la salida.

—Tienes una prisa del demonio. No me das tiempo para mirar nada —protestó Ballinger mientras cruzábamos la Alameda.

—Tengo un presentimiento —dije, sin saber muy bien a qué me refería con ello.

En el billar, una veintena de hombres rodeaban las mesas de juego, fumaban y bebían cervezas en lata. Dos o tres me miraron de reojo, con desconfianza. Ballinger se apegó a mis espaldas y me siguió hasta el mesón donde se encontraba el doble de Orson Welles.

—¿A quién tenemos aquí? —preguntó el gordo y luego de engullir la mitad de un empolvado, agregó—: El hombre al filo de la ley. ¿Cómo estás mi viejo y querido Heredia?

Su amabilidad era tan falsa como los relojes japoneses que vendían en la calle Ahumada, pero seguí su juego y por unos minutos me propuse comportar a la altura del niño sabihondo del curso.

—Enseñándole a mi amigo los lugares respetables de Santiago —dije, indicándole a Ballinger—. ¿Cómo anda tu vida, gordo?

—Dulce, siempre dulce —respondió el dueño del billar.

—Tranquilo, buena clientela y ningún tira a la vista —agregué, al tiempo que miraba el salón, buscando la figura desgarbada de Pitico.

—¿Perdiste a alguien? —preguntó el gordo.

—Quedé en juntarme con un amigo, pero no lo veo. El Pitico.

—Si le debes plata, aparecerá. Y si es al contrario, olvídate.

—Entonces puede pasar cualquier cosa.

—Jugaré una partida con el gringo —dije, colocando sobre el mesón unos billetes.

—Por una hora la mesa es tuya, Heredia. Habla con Joselito —agregó el hombrón, indicando a un muchacho famélico que estaba en un rincón del salón.

Obedecí las instrucciones y el gordo le hizo una seña a Joselito. Nos acercamos a la única mesa que estaba desocupada y el muchacho me alcanzó un taco de billar.

—¿Cervezas? —preguntó, desganado.

—Dos para mi amigo. Yo prefiero algo más contundente.

—Aquí no tenemos bar.

—Pero tienen un cuarto donde guardan algunas botellas especiales. Antes he estado aquí, Flaco. No te hagas el limpio.

—¿Un «Chivas» pirateado?

—¿Por qué no? Lo que uno bebe es siempre una ilusión.

—Tengo otras cosas más efectivas.

—¿Papelillos?

—Y buenas pepas.

—Tal vez más tarde.

El flaco movió los hombros y se alejó de la mesa.

—¿Sabes jugar? —pregunté a Ballinger y le pasé uno de los tacos.

—Cuando joven era muy bueno.

—Lo que es yo, si logro evitar que se rompa el paño me doy por satisfecho.

Ballinger dispuso las bolas sobre la mesa y probó un tacada que impulsó una de ellas hasta la tronera de la banda izquierda.

—No está mal —dije, en el mismo momento en que apareció Joselito con las bebidas. Las dejó sobre una de las esquinas de la mesa y se detuvo a mi lado, a la espera del pago.

—Lo que sobra es para la buena voluntad —le dije luego de pasarle cinco mil pesos.

Joselito se echó el dinero al bolsillo derecho de sus pantalones y se alejó de la mesa.

—Ahora, te toca a ti —ordenó el gringo.

Puse el taco entre los dedos de mi mano izquierda y tomé impulso para golpear la bola. Pifié y sobre el paño se dibujó una raya de tiza azul.

—Te voy a enseñar a jugar —dijo Ballinger.

La lección duró hasta que Pitico entró al salón, con paso inseguro y frotándose las manos como si hubiera venido escapando del frío de una tarde de invierno. Miró a los jugadores y caminó alrededor de las mesas, sin que a nadie llamara la atención su presencia. Simulé seguir en el juego y mientras probaba golpear la bola blanca, observé que Joselito se acercaba a Pitico y le decía algo al oído.

Las miradas de ambos hombres se dirigieron hasta la mesa que ocupaba con Ballinger. Pitico comenzó a acercarse, lentamente, queriendo reconocer mi rostro o el del gringo.

—Pitico, viejo —le dije en voz alta—. Pensé que ya no vendrías.

El lanza se sorprendió, pero por las dudas, avanzó un poco más y sonrió con cierto recelo.

—¿Lo conozco? —preguntó.

—Nos vimos donde tu prima Valeria.

La mención de la mujer lo tranquilizó y a mí me provocó un leve cosquilleo entre las piernas. Pitico abrió la chaqueta que vestía, y más relajado, sacó un cigarrillo que encendió con la llama de un Ronson.

—¿Qué se juega? —preguntó, amistoso.

—Lo que se puede —dije, al tiempo que tomaba el taco y le hacía una seña cómplice a Ballinger.

Pitico intuyó que algo grave iba a ocurrir, pero no atinó a moverse.

—Y también a contar historias —agregué.

—¿Cómo es eso? —preguntó el lanza, inquieto.

—Tengo una abuela que a veces empeña sus cosas de valor en la «Tía Rica». Le dan una miseria, pero aun así, le gusta llevarse ese dinerillo a su casa. Compra pan, margarina y sus remedios. El último mes llegó sin nada, porque un malnacido le dio un lanzazo a la salida del empeño.

Pitico dio dos pasos atrás y miró hacia la salida. Eso fue todo. Me acerqué a su lado y tomando el taco al igual que un mazo, lo descargué sobre su rostro. El lanza gritó y cuando vi que dé sus narices se escurría un hilo espeso de sangre, repetí la dosis.

El resto fue más fácil de lo esperado. Dos de los hombres que estaban alrededor de las otras mesas trataron de intervenir. Los apunté con la Walther y se aquietaron. El gordo nos puteó desde su mesón y luego engulló dos pasteles, divertido.

—No quiero verte nunca más en el empeño —le dije a Pitico que había conseguido incorporarse y apoyaba sus dos manos en una de las bandas de la mesa—. Iré a vigilar algunas tardes y si te veo por ahí, haré carambolas con tus testículos.

—Nunca más —murmuró el lanza.

—No te escucho, cabrón.

—Nunca más —repitió Pitico—. ¡Lo juro!

—En mi pueblo castigaban mejor a los ladrones —oí decir a Ballinger. Su rostro estaba de un rojo vivo y sus ojos azules parecían a punto de salir de las cuencas.

—¿Qué propones?

Ballinger no dijo nada. Se acercó a Pitico, lo tomó por la espalda, y como si se hubiera tratado de un muñeco de goma, lo arrojó sobre la mesa de billar. El lanza se quejó lastimosamente y cuando quiso reaccionar, el gringo le dio un puñetazo en la espalda.

—Gringo sabe de esto —gritó Ballinger.

Miré a mi alrededor y descubrí que los otros jugadores estaban más preocupados por Ballinger que de la Walther.

Ballinger cogió un taco, tomó la mano derecha de Pitico y apoyándola sobre la banda más próxima a su cuerpo, descargó sobre ella tres golpes consecutivos. Los huesos del lanza crujieron desafinados en medio del silencio que se había hecho en el salón. Pitico se ovilló encima del paño verde. Ballinger arrojó su improvisada arma hacia un rincón y sin esperar mis instrucciones, caminó hacia la salida.

—Buen provecho —dije al gordo, luego de acercarme y punzar la grasa de su vientre con el taco que había utilizado para castigar al lanza.

—Sigues siendo el mismo cabrón de siempre —dijo y soltó una carcajada que estremeció sus mofletes.

Avancé hasta la salida y sólo cuando respiré el aire ensombrecido de la noche guardé la pistola y corrí hasta la esquina donde me esperaba Ballinger, feliz, como un niño que acaba de quebrar los ventanales de la vecina alcahueta.

—¡Welcome! —gritó al verme—. A good cowboy film.

—Una mierda, gringo. Ahora te crees John Wayne.

—Ser detective es muy entretenido.

—¡Alejémonos! Camina hasta el primer bar que encuentres.

—¡Cerveza!

—Cerveza. Es la única palabra que has aprendido bien.

QUINTA PARTE

1

Desde la ventana veía un horizonte de esmog que se recostaba, espeso y turbio, sobre las siluetas fantasmales de los edificios ubicados al oriente de la ciudad. Habían pasado dos días desde la última llovizna y sin embargo la masa gris había reaparecido a las pocas horas, borroneando de una plumada los perfiles cordilleranos y el descolorido cielo de Santiago. Cerrar industrias, reducir los autobuses y vehículos, cuidar los bosques y declarar al aire un bien insustituible, parecía ser la solución. Pero eso no pasaba de ser un sueño. El aire, como la libertad, tenía los límites que unos pocos le daban, y al igual que en una aterradora película de ciencia ficción, se podía pensar que a futuro existirían sectores de la ciudad limpios y asépticos; y otros, enrarecidos y llenos de escombros.

Dejé pasar cinco días. Solo, apenas preocupado de los pasos de Simenon mientras leía incansablemente y el sol entraba al departamento, vigilando mis esporádicas caminatas hasta la cocina para preparar una taza de té. Había tratado de olvidar a Gordon y volver a disfrutar de mis libros y la música. Una receta mágica para liberarme del cansancio que me sobrevino después de la última noche de cervezas con Ballinger.

Pero, como si la soledad hubiera sido la cláusula más frágil de un contrato falso, Bernales apareció en mi oficina a la hora de almuerzo. Traía un vaso de bebida y una caja del Mac Donalds de cuyo interior sacó una hamburguesa que tenía el encanto de un pericote disecado. Se sentó frente al escritorio y sólo cuando terminó de comer, pareció darse cuenta que lo había estado observando con la simpatía que reservaba para los monos del zoológico.

—Pasé la noche trabajando —dijo, después de comprimir el envoltorio de la comida y arrojarlo al canasto que estaba a un costado del escritorio—. Pandillas de lolos satánicos, asaltantes de bancos y media docena de peleas a navajazos entre curados. Quieren resolverlo todo con violencia.

—Mi hipótesis es simple, Bernales. Demasiados años de botas militares y muchas cosas en las vitrinas de las tiendas. Lo primero hace pensar en la fuerza como solución de los problemas; y lo segundo, cuando la suma de lo que se ve en las vitrinas supera en tres veces el sueldo, enerva.

—Demasiado complejo para mi gusto —dijo y enseguida, con evidente deseo de cambiar el sentido de la conversación, agregó—: Vengo con noticias que serán de su interés. Hice investigar a Diocares. Uno de mis colegas lo siguió durante los tres últimos días. Mucha vida social y varias reuniones en el estudio de un abogado de apellido Meléndez.

—¿Quién es?

—Un especialista en juicios tributarios. Asesora empresas que tienen problemas con los impuestos. Juicios, retenciones mal hechas, artimañas para tributar lo menos posible.

—No parece un personaje que encaje en el asunto que nos preocupa.

—No estoy tan seguro, Heredia. Puede ser una pista importante de explorar. Haré seguir a Diocares una semana más y pondré a uno de mis hombres a recoger otros antecedentes de Meléndez.

—Una semana es mucho tiempo.

—¿En qué piensa, Heredia?

—Visitas sociales.

—Puede ser más claro. No olvide que estamos trabajando juntos.

No presté atención a la curiosidad del policía.

Sólo respondí con algunas frases evasivas y pretextando un compromiso fuera de la oficina, me despedí de él y después conduje el Chevy hasta llegar frente al edificio que ocupaba Diocares y sus socios. Desde un teléfono público llamé a la oficina del investigador privado y supe que estaba en una reunión de la que tardaría en salir, si es que la respuesta de la secretaria no era una mentira para espantar a los extraños. Por primera vez, desde que había comprado el auto, abrí su guantera y encontré en su interior una guía caminera destrozada y tres ejemplares de la revista *Estadio* con las fotos de Escutti, Francisco Valdés y Mario Moreno en cada una de sus portadas. En el interior, observé más fotos en color sepia y recordé aquellas tardes de la infancia en que oía los relatos deportivos de Sergio Silva y Darío Verdugo.

Diocares dejó la oficina a las siete de la tarde. Su estampa seguía siendo fiel a la foto que me había mostrado Bernales. Caminó sin prisa hasta un quiosco y compró un diario. Luego, subió a un Lanos rojo y condujo en dirección a la Alameda. Puse el Chevy tras de su huella y lo seguí sin sobresaltos hasta llegar a Providencia y de ahí hacia la avenida Andrés Bello. En dos ocasiones habló por un teléfono celular y luego de veinte minutos entró en los estacionamientos subterráneos del Parque Arauco. El lugar estaba repleto de vehículos alineados uno junto a otro, como una extraña legión de hormigas metálicas, y al momento de estacionar, no tuve otra alternativa que hacerlo junto al auto de Diocares.

Las latas del Chevy crujieron con entusiasmo y antes que pudiera evitarlo, Diocares me reconoció a través del espejo retrovisor de su auto. Nuestras miradas se cruzaron, y en ese instante supe que Diocares era el hombre de la balacera nocturna.

El sicario bajó de su auto y corrió hasta la entrada del centro comercial. En su carrera tropezó con una niña que iba de la mano de su madre, y eso me dio tiempo para alcanzar a verlo subir por una escalera metálica. Una bofetada de aromas extraños golpeó mi rostro al entrar al centro comercial. Sentí que mis pasos perdían sentido. Los letreros de neón giraron a mi alrededor y como el niño que entra a la fiesta equivocada, abrí los ojos buscando un rostro amable que me enseñara a comportar en ese extraño mundo de apariencias y oropel. Estaba en el corazón de un templo dedicado al culto de una fe extraña. El rey consumo abría sus brazos para recibir a sus adormecidas criaturas y yo era un ser sin nombre ni tarjetas de créditos que profanaba los pisos embaldosados y las miradas distantes de las promotoras que invitaban a hundirse en el traicionero lecho de las deudas.

Cerré los ojos y al reabrirlos el paisaje seguía igual. Diocares estaba al final de la escalera y en su rostro había una mueca burlona. Subí tras él sin respetar el ritmo monótono de la escalera y, desorientado, avancé entre la gente que hacía sus compras o comía papas fritas en cucuruchos de papel. Me dejé llevar por la carrera festiva de unos niños que se dirigían al rincón de los juegos electrónicos y cuando logré recuperar la conciencia del lugar en que estaba, regresé al estacionamiento con la idea de haber sido engañado entre los vericuetos de un laberinto incomprensible.

Pero tuve suerte. O al menos, eso creí cuando volví a ver a Diocares en el estacionamiento. Parecía agotado por el esfuerzo de la fuga y mientras observaba de reojo los movimientos de otros autos, trataba de abrir la puerta de su vehículo. Corrí hacia él y tomándolo por sorpresa, logré asirlo de un hombro. Su rostro lucía enrojecido y los cabellos rubios le caían en desorden sobre la frente. Bruscamente se liberó de mi mano y lanzó un golpe. Sentí estremecerse mi nariz y trastabillé. Diocares me ganaba en altura y sus brazos eran lo suficientemente largos como para golpear a distancia, sin que mis puños llegaran a rozar sus mejillas. Debía pelear rápido y sucio, así que aticé su rostro con una docena de mamporros rabiosos que tuvieron la virtud de adormecerlo hasta que sus rodillas se doblaron y pude completar la faena con cuatro patadas en sus costillas.

El conductor de una furgoneta que venía entrando al estacionamiento nos miró por un segundo y luego siguió avanzando. Pero no había de qué preocuparse. El hombre podía haber visto apalear a un perro o a un hombre e igual habría permanecido impasible. Era la ley de la ciudad y la mayoría de sus habitantes la respetaban como un código divino.

Saqué la pistola y apunté a los ojos de Diocares en el mismo instante que los abría para descubrir el comienzo de una inesperada pesadilla.

—De pie y sin trucos —ordené.

Obedeció lentamente. Busqué bajo su chaqueta y le quité la pistola que llevaba sujeta al cinturón. Era una Colt.

—Despacio, hacia la escalera —dije indicando los primeros peldaños de lo que supuse sería la salida de emergencia.

Cinco minutos más tarde llegamos a una terraza desde la cual se contemplaban los estacionamientos exteriores y las calles que rodeaban el centro comercial. Lo obligué a caminar hasta el borde de la terraza y cuando estuvo a dos pasos del vacío, le ordené detenerse.

Tenía poco tiempo y debía emplearlo de prisa.

—¿Quién te ordenó atacarme? —pregunté, sin dejar de apuntarlo.

Diocares rió, burlón.

—No nos veamos la suerte entre gitanos, Heredia. Sé que buscas información y que no piensas usar tu juguete —dijo.

Dejé que mis dedos se aferraran a la pistola y casi sin pensarlo disparé hacía una de sus rodillas. Diocares trató de conservar el equilibrio y consiguió irse de bruces, sin quejarse. Su pierna derecha osciló levemente y un hilo de sangre se escurrió por entre la tela del pantalón.

—Haré que un perro te coma las bolas —gruñó.

—No pareces en condiciones de amenazar a nadie —dije, y luego, sopesando su pistola en mi mano izquierda, le pregunté—: ¿Con esto mataste a Gordon?

—Cada cual se gana la vida como puede —respondió, aún con ganas de jugar.

Di dos pasos hacia él y golpeé su rostro con una patada.

—Pierdes tu tiempo, Heredia.

—Otra negativa y terminarás inválido —dije, apuntando hacia su rodilla sana.

—¡Hijo de puta!

—Eso ya lo sé. ¡Cuéntame algo nuevo!

Presioné la pistola contra su pierna herida hasta que el dolor comenzó a mellar su voluntad. Al inicio de mi trabajo, diez o quince años atrás, solía recurrir a menudo al magnético fuego de mi pistola, que luego, con el paso del tiempo, prefería usar sólo como compañía para enfrentar los malos ratos. Pero, Diocares había conseguido despertar la vieja y gruñona ira, y sus gritos confundidos entre mis pensamientos, alentaban el juego de la pistola sobre su piel.

—Fue un encargo —dijo y deduje que pensaba en un cambio de conducta para salvar su pellejo.

—¿Quién?

—La persona que me contrató no dio ningún nombre.

—Mientes —dije mientras volvía a presionar el arma en la herida de Diocares—. Un trabajo de ese tipo no se hace sin resguardos.

—Calvetti —dijo Diocares.

Intuí que mentía y hundí el caño de la pistola en su dolor.

—Nicolás Leal —balbuceó.

—¿Leal? ¿Quién es Leal?

—Un tipo que frecuenta cierto ministerio.

—¿Qué quieres decir con eso?

Diocares trató de sonreír pero el dolor provocado por la herida se lo impidió.

Iba a insistir con otra pregunta, pero me distraje

240

un instante y Diocares aprovechó el descuido para darme un puntapié. Sentí dolor en el tobillo izquierdo y respondí con un golpe de pistola en su cabeza. Vi azotar su rostro contra el suelo y no necesité remecerlo para saber que estaba inconsciente. En ese momento escuché el ruido de unos pasos que se acercaban. Registré la chaqueta de Diocares y de uno de sus bolsillos saqué un teléfono celular. Los pasos se detuvieron y oí las voces de dos hombres que comentaban un partido de fútbol. Dejé la pistola al alcance de Diocares y caminé hacia la salida. Dos guardias del centro comercial estaban junto a la puerta de la terraza, aparentemente sin intenciones de entrar. Esperé un minuto y cuando se alejaron, marqué el número de la oficina de Bernales y le conté a grandes rasgos lo sucedido.

—Veinte minutos —gritó a través del celular.

Volví junto a Diocares y amarré sus piernas con el cinturón que sujetaba sus pantalones. Si despertaba antes de que llegara Bernales, tendría algo en que ocupar su tiempo. Luego arrojé el celular al vacío y busqué la salida.

El centro comercial seguía con su ritmo alocado y sin pausas. La gente entraba y salía de las tiendas, y en sus ojos había un brillo extraño, como si todo lo que en ese instante veían fuera el reflejo de un sueño luminoso del que no sabían cómo despertar.

Busqué la salida del estacionamiento y transcurridos diez minutos, comprendí que estaba extraviado. Volví sobre mis pasos, me detuve frente al mesón de un Burger King y pedí un café doble. Por algunos segundos tuve la impresión de que la gente que me rodeaba estaba pendiente de mis movimientos. Probé el café y el temblor de mis manos me hizo botar una parte de la bebida sobre el acrílico del mesón.

Encendí un cigarrillo y sólo cuando estaba a medio consumir recuperé el equilibrio necesario para coger el vaso de café y mirar a un par de muchachas que reían en la mesa más próxima. Eran jóvenes y bellas. No sabían nada de la vida; una situación ideal que más tarde, ya señoras y resignadas, en alguna tediosa tarde de verano, recordarían con nostalgia.

Escuché un murmullo que recorría las mesas y al mirar hacia una de las escaleras mecánicas vi venir a cuatro hombres que portaban una camilla cubierta con una loneta gris. Tenían el aspecto inconfundible de los policías, y tras ellos, tieso como un gato de yeso, Bernales caminaba alerta a la reacción de la gente que los veía pasar, agradecida del espectáculo que la suerte les permitía presenciar.

Al reconocerme, el policía abandonó el grupo y se acercó a mi mesa.

—Lo imaginaba lejos de aquí —dijo. Su mirada tenía un brillo extraño que tardó en ocultar tras una sonrisa.

—Traté de correr, pero no avancé gran cosa —respondí.

—Necesitaré su declaración, Heredia —dijo, serio.

—¿Es necesario?

—Su permiso para portar armas no lo autoriza para jugar al tipo duro.

—¿Qué le pasó a Diocares? —pregunté.

—Cuando llegamos se arrastraba hacia la salida. Apenas nos vio comenzó a disparar. Contestamos el fuego y sacó la peor parte.

—Confiaba en que...

—No invente historias, Heredia —interrumpió Bernales—. Si dejó ir a Diocares fue porque ya le había sacado una confesión. Tómese el café y piense en cada detalle de su declaración. Yo y mis subalternos deseamos hacerle algunas preguntas. Va a necesitar mucha verdad para salir limpio de este asunto.

—Creí que éramos amigos.

—Su amistad con mi padrino fue un error que él ya pagó —respondió Bernales, al tiempo que miraba hacia la puerta por la que acababan de salir sus hombres y lo que quedaba de Diocares.

2

En el calabozo, que hedía a orín y vómitos, comprendí que la conducta de Bernales no era una mascarada autoritaria frente a sus subalternos. Fumé algunos de los cigarrillos que había logrado conservar y cuando mi paciencia se convertía en rabia, vi aparecer a un tira joven que me ordenó salir de la celda y caminar hasta una sala en la que Bernales esperaba, sentado junto a una mesa cochambrosa.

El joven me ordenó ocupar una silla metálica y luego, cuando Bernales se lo indicó, nos dejó sin otra compañía que la luz de una ampolleta que pendía desde el cielo raso.

—Ya ha tenido bastante tiempo para pensar sus respuestas, Heredia.

Lo miré en silencio a la espera de que mostrara su juego.

—La historia es simple, Heredia. Usted siguió a Diocares porque tenía la intención de eliminarlo desde que coincidieron en el *Hotel Central*. El vigilaba los pasos de Gordon y usted fue contratado para ajusticiar al auditor.

El cuento de Bernales era absurdo y tan falso como una moneda de dos caras. Una estrategia de manual antiguo que había desempolvado para hacerme creer que estaba atrapado en una red de la que sólo podría liberarme aceptando sus condiciones. Lo oí tejer su historia hasta que una equívoca pregunta acerca de Leal, alumbró sus verdaderas intenciones.

—¿Quién es Leal? —retruqué—. ¿Por qué lo proteges?

—Yo hago las preguntas —en el rostro de Bernales se reflejó una mueca de fastidio—. ¿Qué le dijo acerca de Leal?

—Nada, sólo mencionó su nombre entre muchos otros —concedí.

—¿Cuáles nombres? ¿A quiénes más mentó?

—A mi madre y a dos o tres hermanas que nunca he tenido.

—Su futuro depende de sus respuestas, Heredia. Le daré más tiempo para que vuelva a pensar en ellas —agregó antes de salir nuevamente de la pieza.

En la hora siguiente volvió a entrar y salir en cuatro ocasiones. A cada regreso repitió sus preguntas acerca de Leal y sobre alguien más que, evidentemente, era el motivo principal de sus preocupaciones.

—No tengo otras respuestas de las que ya he dado —le dije en una de sus entradas.

—Me cuesta creer eso, Heredia.

—¿Por qué?

—Usted sabe guardar secretos.

—Mi pregunta apuntaba a explicar tu conducta, Bernales.

—Cuando lo vi interesado en la muerte de Gordon decidí darle alas para que averiguara algo interesante. El asesinato fue en su barrio y usted lo conoce mejor que nadie.

—¿Y dónde quedó esa historia de mi encuentro con Diocares en el hotel?

—Lo utilicé, Heredia. Aún no se da cuenta.

—Nada duele más que equivocarse con los amigos —dije.

—No dramatice, Heredia. Compartir una noche de balaceras no significa que seamos hermanos del alma. Solís era su amigo, no yo.

—Pensé que habías aprendido algo de él.

—Solís pertenecía a una escuela caduca. De no

244

haber sido por su muerte, ahora andaría chocheando con esas ideas que consideraba justas.

—Si querías ayuda para descubrir al asesino de Gordon...

Dejé la frase en suspenso y observé a Bernales. En su mirada y en su última respuesta estaba la verdad que hasta ese instante no había podido reconocer. Simulé una carraspera inoportuna y cambié mi explicación por una pregunta.

—¿Querías saber qué averiguaba para detenerme en el instante oportuno?

—¿Qué insinúa? —preguntó, confundido en su propia red.

—Cubres las espaldas de Leal o de alguien hasta ahora innombrado. Dijiste que no sabías dónde ubicar a Diocares y tuve que correr por la pista falsa. Fuiste a mi oficina con ese cuento del abogado Meléndez...

—Fantasea, Heredia. Unas horas de humedad y sombra le servirán para olvidar tantas leseras —dijo Bernales. Luego, giró sobre sus talones y salió de la celda por última vez.

Horas más tarde, un policía desconocido me ordenó salir de la sala y caminar hacia una puerta que conducía a la calle. Las veredas que rodeaban el viejo cuartel estaban cubierta de una luz blanca que acentuaba el silencio del amanecer. Frente al edificio divisé a cuatro hombres que también habían pasado la noche encerrados. Pasé frente a ellos y busqué en la chaqueta un cigarrillo que encendí al llegar a la esquina de la calle Bandera. La noche en el calabozo había agotado mi ánimo y el recuerdo de la conversación con Bernales me produjo una tristeza que deseaba borrar con razones que no llegaban a mi mente. ¿Era cierto lo que había pensado, o como decía Bernales, mi imaginación giraba demasiado rápido? Recordé la mirada del policía y concluí que había cometido un error al confiar en él.

Me detuve frente al Touring y entré a por un desayuno. Las paredes del bar estaban cubiertas de enlozados blancos. Había una colección dispar de

245

mesas, sillas plásticas con propaganda en los respaldos y una barra larga, tras la cual estaba el dueño del bar. Un parroquiano, sucio y mal vestido, espantaba la borrachera con un caldo de patas, y cerca de él, dos putas ojerosas charlaban en voz baja. Ocupé una de las mesas y esperé hasta que llegó a mi lado una mesonera flaca que calzaba bototos y vestía una extraña combinación de bluejeans, cotona verde y una bufanda que cubría parte de su cuello delgado y verrugoso.

—¡Días sin verlo! ¿Dónde se había metido? —preguntó, al tiempo que dejaba sobre la mesa un azucarero de baquelita.

Moví los hombros y guardé silencio para desalentar la conversación.

—¿Qué va a querer?

—Huevos y café.

La mujer fue en busca del pedido. Pensé en Bernales y su farsa. En Diocares que había mencionado un nombre: Leal. Pensé en Cambell que multiplicaba su trabajo para mantener en pie una revista; en Ballinger, el gringo que andaba por la vida con la tranquila sabiduría de los que vienen de vuelta, y en Bórquez, aferrado a su lucha ecológica. Pensé en ellos y en la inutilidad de cada uno de sus actos bajo un sol que a diario recorría un paisaje carente de recompensas.

La mujer regresó con el café y mientras lo endulzaba con dos cucharadas de azúcar, reconocí que no sabía cuál era el siguiente paso que debía dar. Probé el café y al mirar hacia la calle vi a Anselmo que subía las cortinas metálicas de su quiosco, dispuesto a ordenar los diarios de la mañana. Esperé hasta que la mesonera trajo los huevos y le pedí que avisara al suplementero que me encontraba en el bar.

Anselmo recibió el mensaje y a los pocos minutos estuvo a mi lado. Se veía contento, con su cabellera engominada y un clavel blanco en el ojal de su chaqueta.

—Anoche lo fui a ver al departamento y no estaba.

—Pasé una noche de meditaciones en la cárcel, Anselmo.

—¿En qué cosa lo pillaron esta vez, don Heredia?

—Un pecado de ingenuidad.

—¿Y eso qué es, don? ¿Se fuma o esnifa?

—Uno nace con ella y la padece toda la vida.

—Cuando usted se pone a hablar en difícil, no le entiendo ni medio.

—¿Alguna novedad? —pregunté luego de probar los huevos.

—Se supo lo que pasó en el billar *Mallorca*. Las viejas estaban felices cuando les dije que el Pitico quedó con la cola a mal traer.

—Peor es mascar lauchas.

—Las viejas le están preparando una visita.

—Avísame el día y la hora para huir lo más lejos posible.

—¡Carajo, don, usted que es!

Bebí un sorbo de café. Anselmo se sentó a mi lado y por la expresión de su rostro, intuí que deseaba hacer una confidencia.

—¿Qué? —le pregunté.

—¿Tiene tiempo, don?

—Mis conferencias de prensa son después del mediodía.

—¿Seguro que puede escucharme?

—Ya te dije que sí. Habla de una vez por todas.

—Si se ríe, muero en la rueda.

—¿Cuál es tu problema?

—Adivine —dijo Anselmo, al tiempo que miraba a su alrededor como si temiera que alguien extraño lo estuviera vigilando.

—¡La adivina!

—¿Cómo lo supo, don?

3

Acaricié la barbilla de Simenon y éste se estiró sobre mis piernas, simulando una breve resistencia con sus patas delanteras. Su pelaje había blanqueado en los últimos años, perdiendo el tono ceniciento que lucía al llegar a mi departamento.

—¿Te acuerdas de la época en que nos conocimos? Ahora es una colección de imágenes borrosas. Nombres, hechos, lugares. Todo perdió sentido. ¿Te has dado cuenta de lo poco que va quedando del antiguo barrio? Las mercerías han sido reemplazadas por depósitos de ropa usada o baratillos chinos. Los bares se cierran, y en los toples sobreviven unas bailarinas cada vez más viejas y lánguidas. De aquí a dos años, venderán nuestro edificio y construirán en su lugar una torre para ejecutivos de corbatas anchas y corazones del tamaño de una calculadora.

—¡Qué ánimo! Veo que la jugada de Bernales te jodió el día. ¿Qué tal una copa?

—Hace unos días hablabas de beber lo justo o casi nada.

—Uno tiene derecho a cambiar de opinión.

—Quién te entiende, Simenon.

—¿Por qué no buscas a Griseta? —retrucó el gato sin prestar atención a mi pregunta.

—Ella es joven, testaruda e inteligente. Tres armas contra las cuales no puedo luchar —dije y me abracé al cuerpo de Simenon hasta que el cansancio cerró mis párpados—. Además, llegué a un acuerdo con ella. Todo quedó sujeto al azar.

248

Por la mañana continuaba donde mismo. Simenon arañaba mis brazos y un rumor de autos enronquecidos entraba por la ventana. Aparté a Simenon y antes de preparar el primer café del día, afeité mis mejillas con el cuidado de un novio. Después salí a la calle y caminé observando las vitrinas, hasta llegar a la oficina de Cambell. La puerta del despacho estaba abierta y el periodista, sentado junto a su escritorio, sostenía una vaporosa taza de té entre las manos y extraviaba la mirada más allá del ventanal que daba a la calle Diez de Julio.

Sólo cuando estuve a su lado se percató de mi presencia.

—Esta ciudad es un asco —dijo sin mirarme—. Cada día más autos, esmog y mierda. Cuando mi viejo compró este departamento, a comienzo de los años sesenta, aún pasaban carretas y desde aquí se podía ver la Virgen del San Cristóbal.

—No es eso lo que te tiene afligido —dije, observando su semblante demacrado en el que se adivinaban varias noche de insomnio.

—Este buque se hunde, Heredia. El último mes perdí cinco avisadores y las ventas han bajado a la mitad. Es imposible hacer periodismo independiente. Los peces gordos engullen todo lo que se les cruza en el camino. ¿Lo puedes entender? Durante la dictadura la revista estuvo al pie de la trinchera, y ahora nadie le tira un mango.

—¿Y tus contactos? ¡Tus compañeros de Partido!

—Apenas conocieron el olor del dinero, cambiaron de casa, autos y amigos. Así no se puede, Heredia.

Aparté el recuerdo de Bernales con el simple gesto de encender un cigarrillo y mirar hacia la ventana que comenzaba a recibir las primeras caricias de una suave lluvia.

—¿Andas de copas? —preguntó Cambell.

—Salí a caminar. Ando tristón y bajoneado.

—¿Cómo va el rollo del abogado?

—Mal —dije, y le conté lo sucedido con Diocares.

—¿No dijo nada? —preguntó él al final de mi relato.

—Mencionó a un tal Leal. Alguien que, al parecer, podría trabajar en el Gobierno. Pero, en verdad, su nombre no me dice nada. Al menos no es de los que aparecen en las noticias.

—¡Leal! ¿Cómo que no te dice nada? —dijo, al tiempo que marcaba un número en el teléfono que tenía a su alcance sobre el escritorio—. Creo saber a quién se refería Diocares y sólo necesito confirmar un dato.

Preguntó por Pérez y luego, con su voz transformada en un susurro, lo oí mencionar tres o cuatro veces a Leal.

—Pérez nos aguarda —dijo Cambell un rato después. Encendió un cigarrillo, se puso la chaqueta de cotelé y salió a toda prisa de la oficina. Lo alcancé en la calle, en el momento que hacía partir el motor de su auto. Entré al vehículo y con la respiración agitada me acomodé a su lado.

—¿Qué bicho te picó, Cambell?

—Llamé a Pérez al Ministerio del Interior. Dice que existe un tipejo de apellido Leal que deambula por ahí. Nadie se explica qué hace en ese lugar. Al parecer cuenta con el respaldo de algún asesor o del subsecretario. Me quedó claro que Pérez no le tiene simpatía y que está dispuesto a revelar algunas intimidades palaciegas si eso ayuda a perjudicar a Leal. Nos espera en el Lucero, un bolichito cercano a la Alameda.

El ambiente del café estaba envuelto en un agradable aroma de pan recién horneado. Sus mesas eran pequeñas, con cubierta de marmolina, y junto a una ellas, en el rincón más apartado de la entrada, Pérez esperaba por nosotros. Era un hombre gordo, que vestía de azul y lucía un bigote fino, recortado con esmero. Le habían servido tres pasteles y los miraba con satisfacción, dispuesto a lanzarse sobre ellos de un instante a otro. Cambell nos presentó, y mientras pedíamos café a un mozo, Pérez engulló uno de los pasteles con la voracidad de un tigre de circo pobre.

—¿Cómo te va, Cambell? —le preguntó de un modo que dejaba en evidencia que le importaba poco lo que hiciera.

—No tan bien como a ti, *Buitre* —respondió Cambell, dispuesto a decir un par de cosas que resultaran gratas al oído del gordo—. Éxito, poder y billete. ¿Quién te vio y quién te ve? Pareces un príncipe.

Bebí un sorbo de café para no reírme en la cara de Pérez, y éste, que había esbozado una sonrisa satisfecha, tuvo el segundo de lucidez necesario como para reconocer la ironía del periodista.

—Aproveché mis fortalezas y oportunidades. Un enfoque estratégico y...

—Y oportunista —comenté.

—En el mejor sentido de la palabra —dijo Pérez, concediéndome una mirada de perfil.

—Vamos a lo que nos interesa —intervino Cambell, anticipándose a mis siguientes palabras.

Pérez asintió y dedicó los siguientes treinta segundos a comer otro pastel.

—Leal —dijo Cambell—. ¿Qué nos puedes decir de él?

—Nicolás Leal —recalcó Pérez—. Un sujeto que aparece por el ministerio y suele reunirse con Vicencio, uno de los asesores del subsecretario. Nadie lo traga. Durante la dictadura trabajó de informante en el Diego Portales y después, al regreso de la democracia ofreció sus conocimientos. Se hace llamar analista, pero no pasa de ser una oreja fina que se vende al mejor postor. Se sabe que en el ministerio han recurrido a soplones de la antigua Central Nacional de Informaciones o de Carabineros, y también a algunos militantes de los partidos de izquierda. Me hace gracia pensar que algunos fachos y puntudos comparten una misma planilla de pagos.

—El consenso unifica muchas listas —dije y Cambell me hizo una seña para que mantuviera silencio.

—Dicen que ha colaborado en la construcción de una red de inteligencia para neutralizar a grupos extremistas, y que gracias a sus informes han caído varios militantes rodriguistas. Sus datos siempre apuntan hacia la izquierda, porque a los grupos de extrema derecha nadie los toca. Siguen protegidos por los hombres del General.

A grandes rasgos, le conté a Pérez acerca de lo sucedido con Diocares y su posible relación con Leal.

—Las antiguas simpatías con los militares son un factor común —agregó Pérez—. Si Diocares trabajaba recogiendo información política, las posibilidades de una relación entre ambos, aumentan.

—¿Dónde encuentro a Leal?

—En el ministerio no tiene horario y su dirección es reservada —respondió Pérez—. Sin embargo, hace dos semanas, estaba en cama con gripe y tenía que entregar un informe. Llamó a la secretaria justo en el momento en que yo andaba revoloteando a su alrededor. Dora, la secretaria, anotó la dirección en un papel y yo logré leerla. Uno nunca sabe cuándo ni para qué puede servir una información.

—¿Cuál es su aspecto?

—Alto, muy delgado y canoso. Pasó la cincuentena hace varios años, pero aún gusta de vestir ropa deportiva. Juega tenis dos veces a la semana y los viernes no falta al baño turco.

—Leal no era un invento de Diocares —reflexioné en voz alta.

Pérez correspondió con una sonrisa cargada de suficiencia, miró su reloj para señalar que el tiempo que nos había concedido llegaba a su fin y tomó el último pastel que tenía en el platillo.

—Gracias —dijo Cambell—. Te debo una buena.

—Si descubres a Leal en algo turbio, no vaciles en escribirlo a toda tinta. Me harías un gran favor.

—Lo tendré en cuenta.

Pérez se puso de pie y salió del café sin prisa, consciente de que lo observábamos.

—¿Podemos creerle? —pregunté.

—Tiene interés en sacar a Leal de su ambiente.

De lo contrario no habría abierto la boca. Pérez sigue siendo un gordo siniestro.

—Tengo que ubicar a Leal.

4

La búsqueda tuvo la certeza de un tiro al aire. Temprano, antes de oír los primeros arrullos de las palomas sobre el pequeño balcón que daba a la calle Bandera, salí de la oficina y me instalé frente al departamento de Leal, ubicado en un edificio de reciente construcción, próximo a la Plaza Ñuñoa. Era una mañana fría. Las hojas secas cubrían las veredas y los nubarrones del cielo hacían soñar con la lluvia que la ciudad necesitaba para despojarse del esmog. Compré *La Nación* y durante media hora me entretuve leyendo las páginas deportivas y la entrevista al jinete Luis Torres que firmaba un periodista de apellido Haltenhoff, el cual, años atrás, me había ayudado a recorrer los barrios de Buenos Aires mientras ubicaba al asesino de una azafata. Habían pasado diez años desde entonces, y aunque sólo lo veía de vez en cuando, solía leer sus crónicas y recordar nuestras charlas en *La Poesía*, un bar de San Telmo al que todas las noches llegaba un violinista ciego que interpretaba tangos de Mariano Mores.

Leal salió de su departamento a las diez. Vestía una chaqueta de mezclilla azul. Su cabellera cana, bien peinada y reluciente le llegaba hasta los hombros. Subió a un Opel Astra y logré seguirlo un trecho, hasta que seis cuadras más allá, el Chevy bufó como un toro herido y se negó a seguir la ruta. Abrí el capó del auto y luego de remover al azar tres o cuatro cables, conseguí que el motor recuperara su ronroneo de gato asmático y que el auto se deslizara de nuevo por las calles.

Conduje hasta recobrar el paisaje de mi barrio y

estacioné junto al quiosco de Anselmo que, para mi asombro, estaba cerrado y con un letrero de venta pegado en cada una de sus paredes.

Mi perplejidad se duplicó cuando al subir a la oficina encontré a Anselmo, sentado junto a mi escritorio y con una maleta de cuero a sus pies.

—Menos mal que llegó, don. Si demora cinco minutos más habría tenido que irme sin despedida —dijo Anselmo.

—¿Despedida? ¿De qué estás hablando?

—Cerré el quiosco. Dentro de una hora viajó a Viña del Mar con la Zara. Que trabajen los giles. Desde hoy me las doy de bacán, al lado de mi adivina y con todo el mar a mi disposición. ¿Qué le parece, don?

—¿Con qué cuento te engrupieron?

—Zara abre su consulta esotérica en Viña. Su tía abuela, que Dios tenga en sus cómodas nubes, murió y le dejó un departamento y suficiente guita como para reírse de los peces de colores. Zara tendrá una oficina lujosa y va a contratar un espacio radial para promover sus consejos y los productos que vende.

—Esa bruja te sorbió el seso, Anselmo. Debí suponerlo y advertirte con mayor firmeza. A tu edad ya no estás para cuentos.

—Amor, don. Puro y energético. Guiado por los astros y las cartas del destino. Y si todas esas cosas son puro grupo, da lo mismo. Me cansé de estar solo, don. De cocinar para uno, recalentar tallarines y dormir con frío. Apostaré los años que me restan a esa mujer.

—¿Hay algo que pueda hacer por ti, Anselmo? —dije, imitando a un cura confesor de otras épocas—. Llevarte al médico, invitarte a unas copas.

—Si es para que cambie de idea, nada. Pero, en recuerdo de los viejos tiempos, puede hacerme dos gauchadas.

—Te escucho.

—El quiosco está en venta. Puse un aviso en *El Mercurio* y di su dirección. Véndalo en dos guatones y nos vamos a medias, don.

—Jamás he vendido ni un alfiler, Anselmo.

—¿Qué le cuesta? Atiende a los interesados, les canta el precio y cuenta los morlacos. Simple, don.

—Dalo por hecho —concedí de mala gana.

—Después le escribo para darle mi nueva dirección —dijo Anselmo y dio unos pasos hasta quedar junto a la puerta de la oficina.

Observé sus ojos en los que comenzaban a espejear unas lágrimas.

—Lo voy a extrañar, don.

—¿Quién me va a traer el diario? ¿Quién me va a contar los chismes del barrio?

—Siempre voy a recordar sus líos...

—La de veces que me sacaste de apuros, Anselmo.

—Mejor no siga con eso, don. Esta vez el naipe está de lujo y si me pongo sentimental, capaz que suelte las riendas.

—Seguro —dije sin mucho convencimiento—. ¿Cuál es el otro favor?

—Deséeme suerte, don.

Me acerqué al suplementero y estreché sus viejos huesos entre mis brazos.

—Usted siempre creyó mis historias —dijo sin apartarse de mi lado.

—Te vi correr en el Hipódromo Chile. Eras de los grandes, como Carlitos Rivera o el maestro Pedro Ulloa.

—Era del montón. Demasiado bueno para apalear a los caballos y poca muñeca. Por eso nunca conduje caballos con chance.

—Una tarde te aposté en una carrera de dos mil metros. Entraste por los palos y justo en el ojo mágico pusiste media cabeza de luz entre tu burro y el favorito. El caballo pagó cuarenta veces a ganador.

Anselmo retrocedió tres pasos, tomó la maleta y abrió la puerta.

—Esta carrera en Viña la gano de punta a punta, don.

—Suerte.

—Gracias, don.

—Si algún día anda por Viña...

—Suerte, Anselmo —dije y cerré la puerta antes que el suplementero soltara su primer lagrimón.

Simenon llegó a mi encuentro y se enroscó entre mis piernas. Lo tomé en los brazos y lo miré a los ojos hasta ver reflejado en ellos mi rostro entristecido.

—¿Tú sabías algo?

Simenon huyó de mis brazos y en dos saltos estuvo encima del escritorio, toqueteando con sus patas el teléfono.

—Todos me dejan solo. Los amigos se van y las amantes te olvidan. Falta que tú...

—¿Crees que podría dejarte?

—Un día de estos...

—¡Cabrón! —gritó Simenon desde el escritorio.

—¿Qué tal una copa?

—Una, y después al trabajo.

—¿Trabajo?

5

«Yo soy aquel para quien están guardados los peligros, las hazañas grandes, los valerosos hechos», decía Alonso Quijano en su desvarío. Y esa cita, remarcada al correr del lápiz, me hizo alentar un par de ideas acerca de Gordon y de quienes debían responder por su muerte. Decidí hacer una jugada audaz y luego de bajar por el ascensor que comunicaba los pisos del edificio, dejé atrás las calles del barrio y crucé los límites de la Plaza Italia hasta llegar a la casa de Adelina Dupré, una casa de dos pisos ubicada en un pasaje con árboles que proyectaban la complicidad de sus sombras a todo lo largo de la vereda.

La casa estaba rodeada de un cerco de ligustrinas y sólo había luz en una de las piezas del segundo nivel. Verifiqué que nadie me viera y salté el cerco. Mis pies se hundieron en un colchón de tierra blanda. Aguardé unos segundos antes de seguir avanzando hacia la casa por un sendero de maicillo que conducía hasta la puerta de la que supuse sería la cocina. El resto fue fácil. Forcé la puerta sin hacer ruido y entré a una habitación en la que había tres sillones, varias mesitas rinconeras y dos vitrinas tras las cuales reconocí una colección de porcelanas. Tropecé con el borde de una alfombra, y durante quince segundos esperé alguna reacción en otra parte de la casa. La respuesta del silencio me animó para subir al segundo piso.

El cuarto iluminado era el dormitorio de Adelina Dupré. Saqué la pistola y di los pasos necesarios para quedar a los pies de una cama de dos plazas. La lámpara del velador estaba encendida y a un costado de la cama reconocí una novela de Irwing Wallace. La abogada dormía con la boca abierta y su rostro, cubierto de crema, tenía un aspecto fantasmal que me hizo vacilar. Fue un temor momentáneo. Puse la pistola sobre su sien derecha y la presioné hasta que la mujer abrió los ojos y su horror tuvo la solidez de las sombras que entraban a través de la ventana.

—Tranquila —dije—. No es mi intención hacerle daño.

La abogada miró de reojo el teléfono que había encima del velador y antes que intentara una maniobra torpe, desconecté el aparato y lo arrojé bajo la cama.

—Usted... —comenzó a decir la abogada.

—¿Hay alguien más en la casa?

Intuí que Adelina Dupré iba a mentir y volví a presionar la pistola sobre su cabeza.

—Vilma, la empleada, se retira a las ocho. Me gusta estar sola.

—Mejor, así tendremos tiempo y calma para conversar.

—Usted es el detective que estuvo en mi oficina —recordó—. ¿Qué busca?

—Unas cuantas verdades.

—Es por lo de Gordon ¿no?

—He unido algunos hilos y creo que usted conoce el comienzo de la madeja.

—Le aseguro que no saldrá tan campante de este atropello.

—Me parece que no está en condiciones de imponer sus reglas —dije, y sin ganas de extender la conversación, agregué—: Usted sabe por qué mataron a Gordon. El redactó un informe desfavorable para el proyecto que promueve la consultora Benex, y alguien estaba interesado en que desapareciera el documento. ¿Es así?

La mujer cerró los ojos, como si en la repentina oscuridad hubiera podido encontrar una salida a su situación.

—Gordon no quiso cambiar el informe y usted...

—Francamente no sé de qué está hablando.

—Nicolás Leal piensa distinto —dije, y la expresión de la mujer se congestionó en una mueca de ira reprimida.

—¿Qué pasa? ¿Le dice algo ese nombre?

—No. ¿Debería?

—Su rostro dice más que mil palabras. No trate de engañarme. ¿Qué pasa con Leal?

—Nada.

—Tengo poca paciencia cuando tratan de jugar conmigo. Estamos solos, nadie me vio entrar a su casa y, si me lo propongo, puedo ser muy desagradable.

—Leal organizó todo —agregó Adelina Dupré dispuesta a confesar.

—La escucho.

—Se presentó una tarde en mi oficina. Me habló de su trabajo y de ciertas influencias ministeriales que lo protegían. Habló del proyecto Gaschil y de algunas personas interesadas en obtener un dictamen rápido y favorable de la Contraloría. Estaba bien informado. Sabía del trabajo de Gordon y también que él era mi subordinado. Le dije que estaba loco si pensaba en que yo lo podría ayudar. Pero al fin lo hice. Gordon se negó a cambiar el informe. Leal habló de otro procedimiento. Le ofrecieron dinero a través de Claudio Plaza. Gordon siguió en la misma posición y a la semana apareció muerto. Tuve miedo y llamé a Leal. Dijo que no me preocupara, pero tuve la mala ocurrencia de hablar del informe. Enloqueció. Me pidió que lo hiciera desaparecer y por la tarde, cuando la secretaría de Gordon se había retirado, entré en su oficina y borré los archivos que tenía en el computador. Creí que con eso bastaría, pero al día siguiente, de pura casualidad, tropecé con el auxiliar que traía el informe escrito.

—Lo recibió y simuló una discusión con Morales para quedarse sola y registrar a su antojo el ingreso de los informes. Anotó dos, y el tercero lo guardó o hizo desaparecer.

—Parecía simple hasta que llamó Leal y le conté lo del auxiliar.

—Al que atropellaron al día siguiente...

La mujer evitó mi mirada. No quedaba ya nada de la abogada altiva que me había recibido días antes en su oficina.

—No deseaba hacer daño a nadie. Tenía aprecio por Gordon, y al auxiliar apenas lo conocía. Tampoco imaginé que Leal fuera a llegar a los extremos.

—¿Por qué lo hizo?

—Me ofreció dinero —respondió, demasiado de prisa para mi gusto.

—Miente. Usted no necesita dinero. Vive sola, gana un buen sueldo, lleva una vida tranquila.

Unas lágrimas rodaron por las mejillas de Adelina Dupré. Alejé la pistola de su cabeza y retrocedí unos pasos, como si distanciándome de ella hubiera podido comprender mejor sus motivos.

—Es una vieja historia —agregó ella—. Aunque él tiene más edad que la mía, conocí a Nicolás Leal cuando estudiábamos en la Escuela de Derecho. Su mejor amigo se llamaba Bernardo Puente, un muchacho de Vallenar de quien me enamoré. Le di todo hasta que se aburrió y confesó que su interés por mí no pasaba de ser una humorada entre él y algunos de sus amigotes. Pudo haber sido un simple desengaño. Pero, cómo se sigue adelante cuando alguien le dice a uno que es la víctima de una apuesta. Y eso no fue todo. Quedé embarazada y Bernardo no quiso asumir la responsabilidad. Mis padres vivían en Valdivia y no me atreví a contar la verdad. Una amiga me acogió en su casa hasta que nació el niño y luego lo entregué en adopción.

—¿Dónde está ese hijo?

—Nunca quise saberlo. Yo era una muchacha sola, miedosa y desengañada.

—¿Leal lo supo?

—Así es. Y a las espaldas de Bernardo, y hasta que mis padres murieron, usó esa información para extorsionarme. Después pensé que no lo volvería a ver, pero una vez más me equivoqué.

—Reapareció para plantearle el asunto de Gordon.

—Todo lo que tengo es mi profesión y mi carrera. Si Nicolás hacía rodar el chisme habría tenido que dar muchas explicaciones. No se imagina cómo se habrían burlado de mí. Y más que eso, habría tenido que enfrentar la verdad.

—Nadie puede engañarse la vida entera.

—Yo lo había logrado. O al menos eso creía, porque desde la muerte de Gordon sólo soy una máscara que cumple ritos y reglas aprendidas durante años.

—Tal vez llegó el momento en que vislumbre alguna luz.

—¿Qué quiere decir con eso?

—La verdad es que no lo sé. Palabras. Apenas puedo con mi vida y desde luego, no soy el más indicado para orientar a los demás.

—¿Por qué vino a mi casa?

—A veces me da por descubrir verdades.

—¿Va a buscar a Leal?

—¿Tengo otra alternativa?

—¿Dirá a la policía lo que le conté?

—No si puedo evitarlo. Pero, usted debe prometer que no dirá nada a Leal acerca de esta conversación.

—Jamás. Se lo prometo.

—Y otra cosa, ¿qué hizo con el informe de Gordon?

—Entregué el original a Nicolás, y guardé dos copias.

—Lo supuse. No hay empleado público que se resista a guardar un papel.

—El estudio está bien hecho. Reproduje algunos de los antecedentes en mi informe. Cosas generales, desde luego.

—¿Dónde están las copias?

—Una está en la oficina y la otra la guardo aquí, en la casa.

—¿Entregó ya su informe al Contralor?

—Pedí ampliación del plazo de entrega.

—Tiene que hacer dos cosas. Déme una copia del informe y, cuando corresponda, entregue a su jefe un estudio que contenga las conclusiones de Gordon.

—¿Y qué le digo a Leal?

—Sí las cosas salen como espero, no tendrá que decirle nada. De lo contrario, piense un momento en Gordon y Morales.

Bajó la cabeza y asintió como una muchacha castigada. Abrió la cajonera del velador, sacó una carpeta verde y me la entregó. Guardé la pistola en la chaqueta y revisé el documento hasta dar con los párrafos que antes había leído en el manuscrito de Gordon.

Luego caminé hasta la salida.

—¿Por qué no se queda? —preguntó ella.

La miré para estudiar sus intenciones y vi a una mujer cansada, que no deseaba pasar el resto de la noche a solas.

—Puedo preparar café o un trago.

—Un café puede hacer más soportable la amanecida —dije y me acerqué hasta la cama—. Tal vez haya algunas cosas sobre Leal de las que aún no hemos conversado.

—¿Qué más quiere saber?

6

Adelina Dupré habló durante toda la noche. De su infancia, junto a unos padres maduros y estrictos que coartaban hasta sus sueños más menudos; de los colegios de monjas en los que había estudiado y del descubrimiento, al inicio de la adolescencia, de una fealdad irremediable que la hizo apartarse de los corrillos de las otras muchachas y sufrir la indiferencia de sus compañeros, a una edad en que ella también fantaseaba con la llegada del príncipe azul. Pero, al contrario de lo que sucedía en los cuentos, en su historia personal, ella siguió siendo un sapo repulsivo, y poco a poco aprendió a vivir su soledad amparada en los estudios y en un carácter huraño que utilizaba para cubrir sus desilusiones. La oí repetir su historia con Bernardo Puente, el cual, recibió su título universitario, regresó a Vallenar y olvidó a la muchacha más fea del curso.

Cuando la luz matinal iluminó el dormitorio, Adelina Dupré interrumpió los recuerdos y se encerró en el baño dispuesta a recuperar su aroma a Paloma Picasso y su traje de dos piezas, azul y ceñido.

La acompañé hasta la salida, donde abordó un Mazda verde.

—Lo puedo llevar —dijo, recuperando el tono de voz que empleaba en su oficina.

—Tengo mi auto estacionado a media cuadra de aquí.

Ella me observó e intuí que buscaba alguna palabra amable.

—¿Está seguro que no irá a la policía? —preguntó.

—Apenas salga de esta casa me habré olvidado de usted.

—Le creo —dijo—. Nunca he conocido a un hombre que quiera acordarse de mí.

La miré en silencio y caminé hasta la salida. El Mazda arrancó veloz y a los pocos segundos desapareció en el horizonte brumoso de la calle.

Nunca olvidaría a la Dupré. Simplemente, guardaría su nombre junto al de otras soledades que había conocido en el pasado y a las que regresaba cuando necesitaba una justificación para seguir en el ruedo, arrastrando un cuerpo que a diario se hacía más pesado, lleno de arrugas y gastado como los zapatos de un cartero.

Bostecé a mis anchas, caminé al encuentro del Chevy y media hora más tarde estaba en el Mercado Tirso de Molina, frente a un jarro de café con leche y un Barros Luco. A mi lado, tres cargadores de la Vega bebían sus pipeños, acompañados con un plato de chunchul asado que era «oloroso y confortable a la manera de un muslo de viuda».

La mañana estaba fría. A mis espaldas, como un desafinado coro griego, los comerciantes terminaban de abrir sus puestos de frutas y verduras. Pedí un segundo jarro de café y ya sin la urgencia de la trasnochada, lo bebí lentamente, mientras mis compañeros hablaban del precio de los tomates y del último gol de Iván Zamorano. Crucé el Mapocho y recorrí los pasillos del Mercado Central observando los pejerreyes, lenguados y salmones exhibidos sobre los mesones de los puestos.

Pasé frente al quiosco de Anselmo. Subí al departamento donde me esperaban Simenon y la señora Rosa, acompañada de sus dos amigas.

—No le quitaremos mucho tiempo, joven —dijo la señora Rosa—. Anselmito nos contó de la pateadura que le dio al ladrón. Queríamos darle las gracias.

—No debieron molestarse. Fue fácil y no exento de placer —respondí, recordando a Valeria, la prima del Pitico.

—No es molestia, joven —agregó la anciana, al tiempo que me entregaba un paquete envuelto en un papel rosado—. Mis comadres y yo le trajimos un engañito.

Lo abrí y saqué de su interior una larga bufanda de lana negra.

—Bonita —dije—. No era necesario...

—Somos pobres pero agradecidas —sentenció una de las viejas que acompañaban a la señora Rosa.

—Y ahora nos vamos —dijo esta última—. No queremos robar más tiempo a su trabajo.

—Si el tal Pitico aparece de nuevo, no dejen de avisarme.

—Estaremos alertas.

Acompañé a las mujeres hasta la salida. En el pasillo, Basualto, el mayordomo del edificio, atornillaba una placa de acrílico en la puerta del departamento de Madame Zara. Me acerqué al hombre y leí la leyenda del letrero: Edén. Centro de Relajación Integral.

—¿Qué significa ese letrero? —le pregunté.

—A buen entendedor, pocas palabras. Un día antes que la adivina dejara el departamento, las muchachas ya lo habían arrendado.

—Vecinas cariñosas y activas, ¿es eso?

—Huifa y baileteo las veinticuatro horas del día.

—¿Y qué pasa con la contaminación acústica?

—No embrome, Heredia. Negocios son negocios. Hágase a la idea. Y si no aguanta la mecha, mejor busca otro lugar.

—Dicen que el hombre se acostumbra a todo.

—Le aseguro que las vecinas no están nada de mal —gritó Basualto antes que yo cerrara la puerta de mi oficina.

—¿Qué te parece, Simenon? Tendremos unas gatitas de vecinas.

—¿De qué te quejas? En una de esas, hasta te contratan como guardaculos. ¡Cafiolo con sueldo fijo e imposiciones!

—Últimamente prefiero estar solo.

—Con tus gatos, no nos olvides.

—¡Tus gatos! ¿Dijiste tus gatos?

—Es una triste historia —creí oír decir a Simenon, al tiempo que escuchaba los maullidos desconsolados que llegaban desde la cocina. Simenon mostró el camino y lo seguí hasta llegar al rincón donde se ovillaban siete pequeños gatitos.

—¿Qué significa? —pregunté.

—Son mis hijos, Heredia. Nacieron hace una semana.

—O sea que ahora eres padre soltero.

—¡Somos!

—¿Somos?

—¿Recuerdas que te hablé de una tal Galleta con la que solía andar por los tejados?

—La gata gorda que vive con los escritores del tercer piso.

—La maldita dejó sus crías botadas.

—¡Carajo, Simenon! La liberación femenina tiene sus excesos —dije mientras abría el refrigerador y sacaba una caja de leche.

—Me recuerda la tarde en que tú llegaste —agregué.

—Son siete —dijo Simenon.

—¡Buen número!

—¿Estás enojado?

—Cansado, muy cansado. Tanto que a veces pienso en tomar un atajo y llegar antes de lo previsto a la incertidumbre. Pero no. Uno siempre se engaña y remite los dolores para el día siguiente.

Vertí leche en un plato. Los gatitos se arremolinaron junto al tiesto y por algunos minutos observé el ansioso ir y venir de las lenguas rojas de los siete gatos blancos y espumosos.

—¡Duerme! Yo cuido la casa, tus sueños y a mis hijos —agregó Simenon.

7

—¿Seguro que es lo más conveniente? —preguntó Cambell. Su voz al otro extremo del teléfono denotaba preocupación y miedo.

—La mejor manera de limpiar la olla es raspando a fondo.

—Ni siquiera sabes bien lo que buscas.

—¡Así es la vida! Un par de certezas y una infinidad de dudas.

—Tu pellejo es el que está en juego.

—Si no te llamo antes de la medianoche, anda al City y pregunta por Mariano, el barman. Te dejé con él una copia del informe. Espera unos días, y si la abogada Dupré no cumple su promesa, publícalo.

Corté la comunicación y bebí un sorbo largo del vodka que había pedido a Mariano. El City estaba semidesierto y sólo en uno de sus rincones más apartados y oscuros, había una pareja que conversaba en voz baja.

—Otro igual y la cuenta —le dije al barman.

—¿No es un poco temprano para tanta carga?

—Soy algo tímido y esta mañana tengo que golpear algunas puertas.

Conduje el Chevy hasta el departamento de Leal, con el tiempo justo para estacionar cerca del edificio, ubicar un teléfono y llamarlo para decirle que le traía un envío por correo expreso que estaba a su nombre y debía dejar en sus manos.

—Voy saliendo —dijo Leal.

—Es un envío urgente. Viene de Nueva York.

—Nueva York —repitió Leal.

—Me puede dar otra dirección donde ubicarlo —agregué.

—No —se apresuró en responder Leal—. ¿Cuánto tiempo demora en llegar?

—Cinco minutos.

—Lo espero.

Miré mi reloj y sonreí. El engaño tejía su red y tenía suficiente tiempo para llegar puntual a la cita.

Había concluido que la mejor manera de enfrentar a Leal era con una buena dosis de violencia inesperada. Estaba acostumbrado a protegerse tras las intrigas que urdía con especial inteligencia, pero seguramente carecía de toda defensa si se le encaraba a solas.

Pulsé el tablero del citófono y cuando oí la voz de Leal repetí la historia del correo. La reja de acceso se abrió y recorrí el pasillo que conducía a los ascensores.

Leal vestía un fino terno de alpaca, camisa negra y un pañuelo de seda roja anudado a su cuello. En una de sus manos sostenía un cigarrillo apagado y en la otra una agenda de cuero. Me observó de pies a cabeza buscando la supuesta correspondencia que debía entregarle y, desprevenido, recibió dos golpes de puño en su vientre. Trastabilló, y antes que tocará el suelo busqué su barbilla con otro golpe. Luego, esperé a que se recuperara y lo obligué a caminar hasta el baño, donde, al tiempo que provocaba una descarga de agua, introduje su cabeza en el retrete.

Cuando supuse que estaba a punto de ahogarse, regresé con él al living y le ordené sentarse sobre un lujoso sillón de cuero.

Sólo entonces respiré tranquilo y saqué a relucir la pistola.

—En la biblioteca tengo dólares —balbuceó una vez que volvió a respirar normalmente.

—No vengo a robar, Leal.

La mención de su nombre lo sorprendió.

—Conozco su nombre y buena parte de su historia.

—¿Quién es usted?

—¿No lo sabe? Le bastó con darle mi nombre a Diocares y dejar que él se encargara de los detalles.

—Heredia.

Asentí con una sonrisa. Leal pareció encogerse sobre el sillón.

—¿Dónde está Diocares? —preguntó.

—Solo, muy solo.

—¿Muerto?

—¿No lo sabía?

Leal negó con la cabeza.

—Se cruzó en el camino de los tiras. Pero antes habló lo suficiente.

—¿Qué quiere?

—Confirmar algunas sospechas.

—Puedo doblar la cantidad de dinero que prometí a Diocares.

—Hablemos de Gordon.

—¿Gordon? —preguntó esquivo.

Crucé su rostro con una cachetada y lo oí quejarse unos segundos.

—Puede ser el comienzo o el final. Usted decide.

—¿Qué es lo que sabe? —preguntó mientras limpiaba su rostro con un pañuelo.

Le hablé a grandes rasgos del proyecto Gaschil y del informe que la abogada Dupré había cambiado.

—Gordon era un obstáculo —dijo, casi displicente—. En un reunión oí decir a Javier Vicencio, uno de los asesores del subsecretario, que la aprobación del proyecto podría sufrir un traspiés en la Contraloría. Fue un comentario al pasar, sin detalles, pero lo comenté con la gente de la consultora Benex y ellos decidieron intervenir.

—Su lealtad con Benex era más fuerte.

—Vendo información. De aquí o de allá, me da igual. La lealtad vale lo que cada cual deposite en mi cuenta corriente.

—Usted se ofreció para conversar con Adelina Dupré.

—Eso fue después. Antes, la consultora envió a uno de sus abogados a conversar con Gordon.

—Claudio Plaza.

—Gordon se negó a recibir dinero. Dio a Plaza un estúpido discurso sobre ética y deberes. Propuse encarar el asunto de otra manera. Mencioné a Diocares y la gente de Benex estuvo de acuerdo, salvo Plaza. Entonces, recordé a mi amiga Adelina y hablé con ella para que tratara de hacer entrar en razón a Gordon. Como usted ya sabe, fracasó.

—Volvieron a pensar en Diocares.

—A pesar de que Plaza no estaba de acuerdo. Era un tecnócrata blanducho, bueno para el manejo de cifras pero incapaz de comprender el mundo real. Armó un escándalo, huyó a la playa y cuando sus socios lo informaron de la muerte de Gordon, se ahorcó. Cuando supe que el escrito de Gordon estaba en circulación volví donde Adelina.

—Ordenó que me mataran.

—La idea era saber cuánto conocía usted del asunto. Pero Diocares se puso nervioso, a pesar de las recomendaciones de Bernales.

—¿Bernales?

—Lo creí mejor informado.

—Es sólo una confirmación —dije, ocultando mi sorpresa—. Aparte de Vicencio, ¿quién más del ministerio está metido en el asunto?

—Mis influencias sirven para abrir puertas menores.

—¡Miente!

—Es su palabra contra la mía. Y en cuanto a Vicencio, su participación es circunstancial.

—Sea más claro.

—No recibe dinero por aprobar el proyecto. Diría que es una de las víctimas —agregó Leal.

—Explíquese.

—Tiempo atrás tuve acceso a ciertos documentos de Vicencio, relacionados con un negociado que había hecho junto a otros camaradas de Partido. Se trataba de financiar la campaña de un candidato a diputado y no encontraron nada mejor que obtener dinero inflando el pago de una licitación. Una martingala que suele dar resultados, siempre y cuando se tenga paciencia para ir llenando la bolsa de a poco. Basta tener un proveedor amigo, pedir cotizaciones abultadas y luego quedarse con lo que exceda el valor real del trabajo. En esa oportunidad Vicencio trato de llenar el saco de un viaje. Pagó doscientos millones por un trabajo que valía treinta. Le hice ver que estaba enterado, y desde entonces lo tengo cogido de una oreja.

—¿Vicencio está al tanto de lo ocurrido con el asunto Gaschil?

—Sabe que murió Gordon, pero ignora que fue asesinado —dijo Leal. Su rostro se llenó con una sonrisa sarcástica.

—Un tipo como Vicencio no es un niño de pecho.

—Reconozca que el asunto le quedó grande y que ahora está al tanto de más cosas de las que debería saber. Sea inteligente y acepte mi oferta. Todos ganan, todos felices.

—Tengo la intuición de que oculta algo respecto a Vicencio.

—Le gustan los acertijos o piensa más rápido de lo que imaginé.

—Usted se delató Leal. Sonríe cuando miente.

—Conversemos, Heredia. Digo todo lo que sé y a cambio de eso, usted me deja salir, conversa con Adelina y retrasa en dos días la publicidad del informe. En dos días cobro mis honorarios en Benex y desaparezco. Usted recibiría una parte.

—¿Qué seguridad tengo de que no contrate a otro Diocares?

—Soy hombre de negocios.

—Lo escucho —dije, aparentando interés—: ¿Qué es lo que sabe?

—¿Puedo mostrar algunas fotos? Una buena imagen ahorra mil palabras.

Dejé que Leal se pusiera de pie y presionando la pistola en su cabeza, lo seguí.

8

La biblioteca era amplia y luminosa. Sus muros estaban ocupados por estantes atestados con libros de análisis sociológico y biografías de políticos. Junto a uno de los muros se arrimaban dos kárdex, y en medio de la habitación divisé un escritorio y sobre éste, un computador con carcaza color grafito. Al lado del escritorio había dos sillas, y en una de las paredes reconocí el diploma que atestiguaba el paso de Leal por la Escuela de Derecho.

Intentó una sonrisa que interrumpí con un golpe en su espalda. Trastabilló, pero antes de caer al suelo consiguió afirmarse en la butaca.

—Pensé que habíamos llegado a un acuerdo —dijo, mientras lograba acomodarse en una silla.

—Aún no he hablado de acuerdos.

Desde uno de los kárdex sacó seis fotos en las que reconocí a una mujer y dos hombres que, desnudos al igual que ella, intentaban una rara pirueta sexual. Tenía una expresión de borracha y sus acompañantes parecían disfrutar de la escena por algo que iba más allá de los encantos deteriorados de la mujer.

—Irene Vicencio —dijo Leal—. Hace mucho tiempo se autoconvenció que podía ser actriz, pero sólo llegó a papeles de cuarta categoría y a los bares frecuentados por actores tan malos como ella. Es alcohólica y aunque aparenta ser una dama, suele caer en deslices. Su hermano la protege, le consigue empleos e invitaciones a programas de televisión que mantienen vigente su nombre. A veces la llaman a integrar los elencos de

273

compañías que buscan ayuda gubernamental para sus montajes.

—¿Qué tiene que ver esa dama con lo nuestro?—pregunté, mientras guardaba las fotos en mi chaqueta.

—Explica la razón por la cual Vicencio colabora. Tiene ambiciones políticas y sabe que unas fotos como esas pueden perjudicarlo.

—Es sólo su hermana. No veo en qué puede afectarlo.

—Las apariencias importan en un medio mojigato como el chileno. Pero eso no es todo. Hace cuatro años, Irene Vicencio atropelló a un hombre con su auto. Conducía ebria y sólo la intervención de su hermano evitó que la ficharan y le siguieran un juicio. Salió bien del problema, pero Vicencio cometió el error de encargarme algunas diligencias.

—Me asquea, Leal.

—La gente confía en mí y yo exploro en sus lados oscuros. Después, se trata de saber negociar con quienes tienen alguna cuota de poder.

—En esta ocasión le saldrá el tiro por la culata. Quiero nombres —agregué—. ¿Quiénes responden por Benex?

—Es tarde para que intente algo contra ellos. Dos de mis contactos están fuera de Chile y el tercero, era Plaza. El resto son empleados administrativos y gerentes que no están relacionados directamente con el proyecto. ¿Se da cuenta, Heredia? ¿Acepta mi proposición o sigue adelante con su juego absurdo?

Guardé silencio y me acerqué a la ventana desde la cual se podía ver un parque donde unos niños corrían alrededor de una locomotora de otra época. Pensé en hacer más preguntas, pero cometí el error de distraerme lo suficiente como para permitir que Leal se pusiera de pie y arrojara un pisapapeles contra mis espaldas. Sentí un dolor agudo y cuando giré para repeler otro ataque, vi que Leal salía de la habitación.

Corrí, confiado en darle alcance antes que llegara al primer piso. Pero no era mi día de suerte o mi ángel de la guarda estaba con resaca. Leal llegó hasta la calle y cuando trató de cruzarla, una camioneta elevó su cuerpo por los aires y lo dejó con el rostro pegado a un pavimento que olía a tierra y gasolina. Un hilo espeso escurría por su boca y sus ojos vislumbraban un horizonte que lentamente se apagaba para él.

Comencé a alejarme mientras algunos curiosos se acercaban al cuerpo de Leal y una mujer pedía a gritos una ambulancia.

Media hora más tarde seguía deambulando por las calles sin saber qué hacer ni a dónde ir.

9

—Hasta en el Instituto Nacional, el liceo donde estudié, han puesto un enorme letrero de la Coca Cola —dijo Olivos a mis espaldas—. Un día de estos van a poner uno igual sobre el techo de la Catedral o en los muros de La Moneda.

—Olivos se puso nostálgico —dijo Cambell—. Se pega dos tragos y comienza a recordar su infancia, las sopaipillas de su abuela y a la Berta, una empleadita que lo descartuchó a los doce años.

—Y tú estás cada día más loco. A nadie se le ocurre ver el amanecer desde lo alto de un edificio.

Cambell se aferraba al pasamanos que separaba la terraza del vacío.

—Lo poco que hay para ver. Hacia el oriente se supone que hay cordilleras, y hacia el norte, apenas se divisa el Cerro San Cristóbal. Si de aquí a mañana no llueve nos asfixiaremos todos, incluidos los jetones que para combatir la contaminación hacen mandas a San Isidro.

—Me dan pena las palomas. Respiran y cagan mierda —dijo Olivos, al tiempo que sacaba de su chaqueta una cajetilla de Belmont y la arrojaba al vacío—. Si las cosas siguen igual, pronto vamos a vivir el último crepúsculo.

—¡Eran mis cigarrillos, huevón! —gritó Cambell.

—Desde hoy no fumo más. Me acostumbraré a escribir sin un pucho en los labios.

—Lleva diez años diciendo lo mismo —protestó Cambell—. Si las ilusiones pudieras transformarlas en carillas escritas, tu obra sería más extensa que la de Julio Verne.

Los tres estábamos borrachos. Cuando llegué a la oficina de Cambell, él y Olivos intentaban redactar un artículo sobre maltrato de menores. El trabajo parecía flojo, y al cabo de una hora decidieron posponerlo para otro día e ir al bar de la esquina a comer chupe de locos y beber vino blanco.

Cambell no había esperado la medianoche para retirar la copia del informe desde el *City*, y aunque no quiso hacer ningún comentario, intuí que estaba entusiasmado con la utilización que podía hacer del documento.

Después de la segunda botella les conté lo sucedido con Leal. Olivos escuchó en silencio, y Cambell, luego de hacer algunos comentarios, nos invitó a subir a la azotea de la torre San Borja en la que vivía.

—Escribiremos un reportaje sobre la investigación —dijo—. Lo publicamos en la revista y después lo hacemos llegar a otros medios periodísticos. Desde luego, no estoy pensando en que tú escribas el artículo, Heredia. Lo tuyo no son las palabras ni la ortografía.

—¿Quién entonces? —pregunté, sin considerar su último comentario.

—En nuestro escriba inconcluso —dijo Cambell, indicando a Olivos que seguía con la mirada perdida en el cielo gris.

—Conmigo no cuenten. Me cansé de poner las bolas en la sartén. En los últimos años puse mi cuello en peligro escribiendo declaraciones, manifiestos y panfletos. Los que firmaban las declaraciones son ahora ministros o senadores y yo sigo a patadas con el águila.

—Te quejarás cinco minutos y después dirás que bueno —comentó Cambell—. En el fondo no has dejado de ser un romántico. Un escritor que aún cree que las palabras y los libros sirven para algo. A los quince años leíste al viejo Sartre y jamás te vas a sacar de encima todo ese rollo de la literatura como testimonio y compromiso.

—Escribir es un diálogo con uno mismo y con alguien desconocido. No hay ninguna diferencia entre llenar una hoja en blanco, estar a solas tratando de interpretar las estrellas o rezar —murmuró Olivos.

—Es una pequeña batalla que podemos ganar —dije, acercándome a Olivos—. Es una de esas peleas que hay que dar.

—¡Escúchalo Olivos! —gritó Cambell—. Te habla el maestro de las causas perdidas.

Olivo me miró detenidamente y luego, como si se hubiera acordado de algo triste, me abrazó efusivamente.

—Es sólo un poco de literatura por encargo —dije.

—Pasé cinco años escribiendo babosadas en una oficina pública —dijo Olivos, con voz entrecortada—. Oficios, discursillos, informes, comunicados de prensa. A las nueve de la mañana llegaba a mi escritorio como una esponja hinchada de agua y a las seis de la tarde estaba seco. Salía a la calle y mientras caminaba rumbo a mi casa, trataba de encontrar dos palabras, tan sólo dos palabras, para hilar una historia. Y nada. Me robaban el entusiasmo. Quería escribir y sólo me quedaban fuerzas para llegar a un bar y sentarme junto a un amigo, al que día tras día, iba contando los capítulos de mi gran novela imaginaria.

—Lo haré yo —dijo Cambell, anticipándose a la siguiente negativa de Olivos—. Se trata de escribir dos o tres verdades.

—¡Carajo! —gritó Olivos, como si hubiera querido espantar una alimaña pegada a su piel—. Escribiré ese artículo. Sólo ayúdenme a encontrar las tres primeras líneas.

—Sigues siendo de los nuestros —le dijo Cambell, a punto de perder el equilibrio por la borrachera.

Devolví el abrazo a Olivos y lo conduje hasta la baranda que daba hacia un amanecer de veredas maltrechas y mugrosas.

—Es una buena causa.

—Las buenas causas siempre pierden.

—¿Quién sabe? Alguna vez tendrá que ser distinto.

—¿Para qué hacerlo?

—Porque es necesario.

—Voy a escribir ese artículo, Heredia.

—Ponle todos los adjetivos que conozcas —le dije.

—Cómprame una cajetilla de *Lucky*. No puedo escribir sin cigarrillos.

10

Regresamos a la oficina de Cambell y durante tres horas reconstruimos la historia de Gordon. Olivos, cabeza gacha, tomaba nota en un block de recetas que había robado a su cuñado médico, y de tanto en tanto, alzaba la vista y pedía café. Parecía un escolar castigado a escribir dos mil veces: no debo mirar las piernas a la profesora.

Omití el nombre de Adelina Dupré y pedí a Olivos que recargara la tinta sobre Leal y sus amigos, los ejecutivos de Benex. Después, casi al mediodía, cuando el escritor se ubicó frente a uno de los computadores de Cambell, tomé la chaqueta, puse una canción de Sandro en el wurlitzer y me despedí.

Cuando estaba por entrar al edificio de la calle Aillavillú escuché que me llamaban desde el Touring. Era Barrios, uno de los mozos del bar. Lo acompañaba un hombre de aspecto triste.

—Quiero presentarle a don Félix —dijo el mozo, indicando al extraño—. Está interesado en comprar el quiosco.

—Acabo de jubilar y tengo algunos ahorros —dijo el hombre y luego de estudiar mi reacción, agregó—: El quiosco puede servir para apuntalar la olla.

—Dos millones, sin crédito, cuotas ni regateos —dije.

El hombre sonrió mostrando unos dientes diminutos.

—¿Qué le parece? —le preguntó Barrios.

—Está dentro de mis posibilidades —respondió en voz baja, como si hubiera confesado un pecado abominable.

—¿Cuándo puede hacer el negocio? —preguntó el mozo.

—Mañana mismo. Firmamos en una notaría los papeles y el quiosco es de don Félix.

—Bien —balbuceó el hombre—. ¿A qué hora?

—A las diez —respondí.

Cerramos la transacción con un apretón de manos y cuando Berrios ofreció una copa para cerrar el trato, pretexté un trabajo pendiente. Quería descansar, dormir algunas horas y olvidar la historia que, en ese mismo momento, Cambell y Olivos reducían a quince carillas. Pero mi deseo no pasó más allá de ser una buena intención, porque Bernales me esperaba fumando a la salida del ascensor. Nuestras miradas se cruzaron, y sin decirle nada, deje que el policía entrara a la oficina.

—Pasa poco tiempo en su departamento —dijo Bernales.

—No existe una ley que prohíba quedarse fuera del hogar. Amigos, mujeres, negocios. Los motivos pueden ser muchos.

—Tal vez está huyendo de un asesinato.

—¿Otra vez con tus cuentos absurdos? —pregunté, al tiempo que me sentaba junto al escritorio—. ¿En qué lesera estás pensando ahora?

—Ayer estuvo con Leal.

—No.

—Lo vieron salir del edificio en que vivía Leal.

—¿Ordenaste seguirme o vigilabas al finado?

—¿Qué le dijo Leal?

—Nada que ya no supiera.

—Podría detenerlo, Heredia. «Detective aficionado sospechoso de un asesinato». Sería un buen titular.

—O bien: «Tira corrupto amenaza a honrado detective». Leal mencionó tu nombre —dije y enseguida, sin aguardar la reacción de Bernales, pregunté—: ¿Ya se te pasaron las ganas de jugar al periodismo amarillo?

Bernales dudó entre sentarse frente a mí o seguir de pie. Optó por lo segundo, y dio varios pasos por la habitación, como si en algún rincón de la oficina hubiera podido encontrar las palabras que necesitaba para mantener el diálogo.

—¿Qué piensa hacer con lo de Gordon? —preguntó finalmente.

—El círculo volvió a cerrarse. No tengo pruebas, confesiones ni testigos.

—Mi intención era descubrir al asesino de Gordon. Sin embargo, el mismo día que descubrí a Diocares, supe que piensan darme de baja en el Servicio. Pensé en el futuro y llegué a un acuerdo con Diocares.

—¡Extraño! Porque al mismo tiempo me dabas pistas para llegar a él.

—Estaba confundido, y entre las muchas cosas que pensé, estuvo que usted podría enfrentar a Diocares. Cuando ocurrió el enfrentamiento en el centro comercial, creí que el asunto terminaba bien. Sólo que usted jugó algunas cartas ocultas.

—Tus explicaciones están de más, Bernales. No eres el primer tira que cruza la línea.

—Quiero reparar el error.

—Es tarde para arrepentirse.

—Quisiera ser su amigo, Heredia. Recuerde que una vez evité que usted se convirtiera en asesino.

—Tal vez más adelante podamos conversar. Otro día, con otro ánimo.

—¿Son sus últimas palabras?

Saqué un cigarrillo y me acerqué a la ventana que daba a la calle Bandera. Un bus pasó de prisa y se perdió en el horizonte que nacía más allá del río Mapocho. La vida continuaba su curso.

—Hasta luego, Heredia —dijo Bernales.

No dije nada. Encendí el cigarrillo y escuché el ruido de la puerta al cerrarse. Bernales había entrado a una parte del pasado a la que no deseaba volver.

11

Una semana después, Cambell telefoneó para avisar que la revista con el artículo sobre el proyecto Gaschil estaba en imprenta.

Griseta había visitado mi departamento el día anterior. Entró, recorrió las habitaciones y sirvió unas tazas de té que bebimos casi sin hablar, observándonos como dos que tienen muchas cosas que decir y no saben por dónde comenzar. Le hablé de Anselmo y su nueva vida en Viña del Mar. Había dejado su empleo de dependienta y conseguido otro, como profesora en un secretariado. Dijo extrañarme, pero no mencionó la posibilidad de volver conmigo, ni yo le hablé de las veces en que pensaba en ella, siempre asociada a la idea de una lluvia imprevista que vendría a marcar su retorno. Fuimos a ver una película de Robert De Niro y en la oscuridad del cine, tomados de la mano, creí revivir la magia de otras tardes. No ocurrió nada. Salimos de la irrealidad y la luz de la tarde nos hizo retomar la distancia de los últimos meses, hasta que nos despedimos junto a la estatua de Pedro de Valdivia que los amantes del fin de semana usaban como referencia para sus citas.

Luego de hablar con Cambell, rescaté un terno negro del ropero y salí a la calle con el paso triste y resignado de los que tienen que hacer un trámite en el Servicio de Impuestos Internos. La mañana estaba fría y las hojas de los árboles, cargadas de hollín y polvo, caían anunciando la llegada del otoño. Días que esperaba para caminar por el Parque Forestal y comprar castañas asadas a una mujer que las vendía al inicio de la calle Recoleta, entre puestos de flores y las baratijas de un mercado persa moribundo que extendía a lo largo de una cuadra sus mesones recargados de libros viejos, zapatos de segunda mano y tazones enlozados. Caminé sin prisa, entré al *Haití* a beber un cortado y luego, sin más excusas, decidí enfrentar a Vicencio.

Llegar a él fue más fácil de lo que esperaba. Aproveché un revoltijo provocado por una delegación de estudiantes y entré a su oficina a la hora en que los funcionarios tomaban sus colaciones y habían dejado los despachos desiertos. Un letrero con los nombres de las jefaturas y sus respectivas ubicaciones me ayudó en la búsqueda.

Lo encontré en una oficina pequeña, cuyo único adorno era una foto del presidente de la República y un calendario de tres años atrás. Vicencio era un hombre de cincuenta años, menudo y moreno. Su ensortijada cabellera le caía por los lados, sus ojos estaban rodeados de ojeras profundas y había algo en su rostro que hacía pensar en la expresión de un colegial castigado. Vestía pantalón gris, un chaleco azul sin mangas y corbata roja con prendedor de perla.

Cuando pronuncié su nombre levantó la vista del legajo de papeles que revisaba.

—¿En qué puedo servirle? —preguntó.

Lo observé sin saber qué decir, y por un instante tuve la idea de retroceder y buscar la salida.

—Por favor, asiento —agregó indicándome la silla que estaba frente a su escritorio. Se puso de pie para dejar una carpeta dentro de un kárdex. Al verlo caminar noté que cojeaba de su pierna derecha y recordé las palabras de Madame Zara, la adivina.

—Dígame —insistió.

—Vine a dejarle algo que le pertenece —dije, al tiempo que depositaba sobre el escritorio las fotos de Irene Vicencio.

Tomó las fotos y su rostro endureció con un gesto que era más de dolor que de enojo.

—¿Cómo las obtuvo?

—Nicolás Leal me las dio antes de morir. También me contó algunas historias de su hermana.

—¿Cuánto quiere por ellas?

—Nada.

—¿Qué pretende? —preguntó algo desconcertado, como si todas las personas que entraban a su oficina lo hicieran para solicitar algo.

—Contar un cuento y esperar que usted haga algo para cambiarle el final —dije y comencé a hablarle de aquella mañana en Las Cruces, cuando salí hacia Santiago buscando a Griseta y terminé atrapado en el misterio que había tras la muerte de un extraño de apellido Gordon.

—Leal me habló de Gordon —dijo Vicencio una vez que terminé el relato—. Exigió que le informara de las intenciones del Gobierno respecto al proyecto Gaschil. Lo hice por las fotos.

—¿Sabía de las presiones ejercidas por la Consultora Benex?

—Es normal que las empresas que participan en licitaciones traten de obtener ventajas. Por lo demás, si he de ser franco, pocos contratos están exentos de interferencias. Desde la construcción de carreteras hasta la compra de tarjetas navideñas, todo pasa por contar con ciertas relaciones.

—Como dice un amigo periodista: el talento nada engendra, sólo el pituto es fecundo.

—Son las reglas que permiten sobrevivir junto al poder.

—El problema es que una puntada lleva a la otra y un día el hilo va a ser tan extenso que habrá que coimear hasta al chofer de la micro.

—La corrupción de nuestro sistema político es un juego de niños.

—Los niños crecen y sus ambiciones también.

—Nadar contra la corriente sólo ocasiona héroes mojados —agregó Vicencio, luego de mover los hombros, como restando importancia a mi comentario.

—¿Tenía Leal relaciones con el subsecretario?

—Se reunieron en dos ocasiones, pero no estoy al tanto de lo que hablaron.

—Tal vez el subsecretario deseaba una tajada de la torta.

—Es una opinión arriesgada. No puedo asegurar que sea así, pero tampoco pondría poner las manos al fuego por la inocencia del subsecretario.

—Si nos atenemos a la extorsión que ejercía Leal sobre usted.

—Leal ganaba sus pesos vendiendo chismes. Desgraciadamente todos tenemos algo que ocultar y a veces estamos dispuestos a pagar.

—Usted no es más inocente que Leal. Podría apostar que le daba antecedentes de otras personas para que los hiciera correr.

—Parte de mi trabajo consiste en generar información.

—Me da igual, Vicencio. No vine a juzgarlo.

Hasta la oficina de Vicencio llegaba el rumor de la charla de los funcionarios que regresaban a sus labores. Encendí un cigarrillo y me puse de pie.

—¿Por qué vino a verme?

—Aunque no me guste, la cancha está rayada de cierta forma.

—El poder tiene sus reglas y usted, como la mayoría de la gente, está lejos de entenderlas. Acuerdos, alianzas, favores. No busque explicaciones, Heredia. Perderá su tiempo.

—La política dejó de interesarme. Tengo un concepto más simple y honrado de la vida.

Caminé hacia la salida y me detuve un momento para despedirme.

—Gracias por las fotos —dijo rompiendo una de ellas.

—No me las dé aún —dije—. Lo que le acabo de contar saldrá a la luz hoy o mañana.

—¿Piensa ir a los diarios? —preguntó Vicencio, alterado—. ¿Cree que lo tomarán en cuenta? Me basta con hacer unas llamadas para obtener que no se publique nada de lo que usted pueda decir.

—Sé que el país real no aparece en los diarios. Pero aun así, si en alguna parte se publica mi historia, la gente hará preguntas y usted, su jefe o tal vez alguien más importante tendrá que dar las respuestas.

—Podemos llegar a un acuerdo.

—No busco dinero ni tengo miedo. Lo único que temo perder es el amor.

—¿Amor?

—Con amor se puede ser valiente, evitar la ambición, ser libre.

—Usted no sabe en qué mundo vive.

—Sólo recordaba el Tao.

—Entonces, ¿para qué me cuenta lo de la prensa?

—Para que tengan tiempo de dar marcha atrás. Si eso ocurre, muchas personas estarán felices; creerán que han ganado algo y seguirán luchando. La gente necesita pequeñas victorias frente a sus grandes problemas. Es hora de poner fin al tiempo del asco —dije y salí de la oficina.

Regresé a la oficina y llamé a Ballinger para que alertara a sus amigos ecologistas acerca de lo que podría suceder con el proyecto Gaschil. El gringo escuchó sin decir nada y al término de la historia, sólo atinó a invitar a una nueva serie de cervezas.

A la semana de la publicación del artículo lo vi aparecer en el departamento. Venía eufórico y su rostro, más colorado que nunca, parecía el campo propicio para una sonrisa infinita.

—Dijiste que irías a mi oficina y no lo hiciste. Pensé que si tú no ibas hasta las cervezas, yo vendría con ellas hasta donde Heredia —dijo Ballinger, después de saludar y revisar el aspecto de la oficina—. Además, vengo a invitarte a una fiesta de nuestros amigos ecologistas. Es en el Cerro San Cristóbal, para celebrar la noticia de ayer.

—¿Qué noticia?

—¿No leíste los periódicos?

Ballinger me alcanzó un ejemplar de *La Tercera*. Bajo una gran foto en la primera plana, leí: «Gobierno reaccionó a las demandas de los ecologistas y la licitación para construir el gasoducto se posterga hasta que se investiguen las denuncias efectuadas por un medio escrito. La decisión fue anunciada en conferencia de prensa y en círculos allegados al Gobierno se rumorea que habrá un nuevo llamado a licitación».

—Logramos pegarle al gato —dije, y al ver la mirada de reproche de Simenon, agregué—: Es sólo una metáfora.

Había sido una semana de noches extenuadas, de vigilia en la oficina de Cambell y en la mía, a solas, escuchando los noticieros de las radios, o acompañado de Olivos, quien se dedicaba a revisar los estantes de la biblioteca y a leer, ajeno a mis comentarios. La publicación del artículo originó la violenta descalificación del Gobierno y la amenaza de querellarse contra el periodista por infracción a la ley de Seguridad Interior del Estado. Investigaciones allanó las oficinas de Cambell para requisar los ejemplares de la revista que, en un día, se agotó en los puntos de ventas. Cambell pasó dos noches en Capuchinos, y su cuenta corriente creció varios ceros hacia la derecha. Y mientras los tiras recorrían en vano los quioscos de la ciudad, el grupo ecologista que encabezaba Bórquez, con el apoyo de algunos diputados, pidió investigar al interior de la Contraloría. El organismo señaló primero que era ajeno a las presiones de otros poderes del Estado y luego dio a conocer un informe que, sobre la base de lo investigado por Gordon, señalaba las inconveniencias del proyecto Gaschil. Un periodista formuló algunas preguntas acerca de la muerte de Gordon y denunció que la plana mayor de Benex estaba fuera de Chile.

—Busca tu chaqueta y en marcha —ordenó Ballinger.

El gringo estacionó su jeep a la entrada de la calle Pío Nono. Caminamos en dirección al cerro, por veredas cubiertas de papeles, botellas de pisco vacías, cartones, restos de comidas y desperdicios que eran la huella de una noche de juerga en el barrio Bellavista. A medida que nos acercábamos al lugar del mitin nos unimos a grupos de jóvenes que enarbolaban pancartas y banderas verdes. Algunos lucían la camiseta azul del Club Universidad de Chile y otros, vestidos de negro, parecían los restos de un ejército empobrecido. Ballinger apuró sus pasos hasta que llegamos cerca de un escenario improvisado, donde terminaba de cantar un dúo de muchachas rubias. Divisamos a Bórquez entre las personas que estaban a un costado del escenario, rodeado de una docena de periodistas que esgrimían sus grabadoras. Nos acercamos, y media hora más tarde, cuando consiguió liberarse de las entrevistas, nos hizo una seña para indicarnos que nos reuniéramos tras del escenario.

—Vino más gente de la que esperábamos.

—Muchos jóvenes y mucho entusiasmo —comentó Ballinger.

—Quiero agradecer lo que hizo por nosotros, Heredia —agregó Bórquez.

—Un viejo amigo habría dicho que fue una acertada mezcla de suerte y sudor.

—Una victoria que, al menos por un tiempo, nos dará motivo para celebrar.

—¿Por qué ese tono desencantado?

—El proyecto Gaschil será reemplazado por otro.

—Esta vez el Gobierno tomará resguardos o hará las cosas bien —dije.

—Mientras el gasoducto sea un buen negocio, lo apoyará hasta las últimas consecuencias.

—Hoy es un día para que todos estemos contentos —dijo Ballinger.

—Me esperan en el escenario para que diga algunas palabras —agregó Bórquez.

—Buen hombre —sentenció Ballinger cuando vio al dirigente abrirse paso entre la gente.

—«Esta es buena guerra y es gran servicio de Dios

quitar tan mala simiente de sobre la faz de la guerra»
—cité.

—¿Biblia? —preguntó Ballinger.

—Don Quijote, que es como decir la Biblia.

—Es un libro muy gordo, tiene demasiadas páginas para leer.

—Y hay demasiadas personas a mi alrededor —dije observando a las personas reunidas—. Me pongo nervioso con más de tres personas a mi lado.

—¡Hora de cervezas! —exclamó el gringo.

—No, hoy no. Cualquier día de éstos paso por tu oficina.

Me alejé de Ballinger. A mis espaldas quedó el eco de los gritos y el recuerdo de las pancartas que protestaban contra los ensayos nucleares, la contaminación de Santiago y la tala de árboles en el sur. Al llegar al parque Gómez Rojas respiré tranquilo. Saqué de mi chaqueta la petaca de whisky que guardaba para las emergencias, y cuando sentí que la sangre recuperaba su entusiasmo, crucé el Mapocho.

En ese momento tuve la impresión que la manifestación cerraba un paréntesis y que recién en ese instante, volvía a Santiago tras los pasos de una muchacha con nombre de tango.

12

Rojo, mucho rojo. De sangre, de la ira, del ocio que me arrastraba por horas sin sentido, interminable, como la pesadilla de una montaña rusa de la que era imposible descender. El intenso rojo de la nada a las once de la mañana de un día cualquiera, observando los rostros de la gente que emergía del Metro, expulsadas hacia la vida, a imagen y semejanza de aquellos condenados a los que defeca Lucifer en una pintura de Jerónimo Bosch. Dos horas antes había acompañado a un cliente que regresaba al sur después que lo ayudara a encontrar al hermano que no veía desde hacía quince años. Sin más que hacer por ese día, caminé hasta el centro de la ciudad, frío de ánimo y de piel a causa de la helada que se había dejado caer sobre Santiago.

Desde mi rincón veía al cantante que todas las mañanas, subido a una jardinera, interpretaba canciones y arias a los transeúntes que pasaban por su lado, indiferente a la voz que establecía un insólito paréntesis en el bullicio matutino. Le oí cantar *Natalie* de Gilbert Becaud, y la historia de la muchacha moscovita me recordó a Griseta, a quien no veía desde antes del mitin organizado por los amigos de Ballinger. Habían pasado tres meses desde entonces. La soledad me obligaba a vagar por los bares para encontrar con quién charlar de esto y de lo otro; diálogos que se arrastraban al correr de las copas. Simenon, gordo y viejo, pasaba sus días preocupado de las andanzas de sus hijos. A su modo, defendiendo sus recuerdos y la manía de rasguñar mis amarillentos ejemplares de la revista *Estadio* mientras afuera, sus tejados de otros tiempos estaban convertidos en una maraña de antenas, letreros y ductos de aire acondicionado. Tuve noticias de Bernales por la radio. Había sido dado de baja del Servicio de Investigaciones junto a otros detectives, en lo que la prensa llamaba una reorganización de funciones y recursos. Al enterarme, visité a Dagoberto Solís el tiempo suficiente como para dejar un ramo de claveles y decirle que su protegido había equivocado el camino. Lo demás no venía al caso, y supuse que otros irían a verlo con los chismes.

Rojo, mucho rojo. Despertar de un sueño que nunca era feliz. Calles, rostros extraños que llegaban hasta la oficina con sus pequeñas miserias y angustias; lugares de una ciudad cuyas noches en nada se parecían a las de antaño, cuando recorrerlas tenía el encanto de un viaje a lo inesperado, y no la fría faz de una navaja esgrimida a la vuelta de una esquina.

La ciudad cambiaba. Mis huesos protestaban contra el frío y subir las escaleras que conducían al departamento era un esfuerzo agotador. Dejé de escuchar al cantante y entré al *Haití* por un café que entibiara mi ánimo. Conversé de cosas sin importancia con la muchacha que me atendió y enseguida, sin la posibilidad de encontrar un arco iris doble en el horizonte, regresé al departamento y me acosté a dormir, arrullado por el ronroneo de Simenon y sus siete hijos.

Desperté con el ruido que hacía la lluvia al golpear en la ventana del dormitorio. Una lluvia desesperada que parecía traspasar los muros. Al escucharla, obstinada y fiera, recordé a Griseta y la tarde de aquel encuentro que nos había hecho urdir el secreto de amar a partir del azar. Me vestí de prisa y a trancos largos dejé el departamento. Ilusionado, crucé la puerta giratoria del *City* y en su interior encontré la oscuridad habitual y a Mariano, el mozo que preguntó si quería el trago de siempre.

—Lo de siempre, sí —respondí, mientras mis ojos recorrían una y otra vez los rincones del bar.

Esperé con el temor de un viajero que ha perdido demasiados trenes en su vida. En uno de los bolsillos del impermeable tenía un puñado de margaritas secas. Lo tuve entre mis manos, repetí cien veces el nombre de Griseta, y cuando el reloj del bar marcó todas las horas posibles, pedí la segunda copa de lo de siempre y en las servilletas manchadas que cubrían la mesa comencé a escribir algo que decía: «Pensaba en la tristeza de la ciudad cuando golpearon a la puerta. En las luces que esa tarde de invierno veía encenderse paulatinamente a través de la ventana, y en las calles donde acostumbro caminar sin otra compañía que mi sombra y un cigarrillo que enciendo entre las manos, reconociendo que, como la ciudad, estoy solo, esperando que el bullicio cotidiano se extinga para respirar a mi antojo y regresar a mi oficina con la certeza de que lo único real es la oscuridad y el resuello de los lobos agazapados en las esquinas».

Había comenzado a recordar mi historia en medio de una ciudad triste.

Isla San José de Tranqui—Santiago.
5 de enero de 1996 al 15 de mayo de 1997.